As melhores crônicas de
Rubem Alves

Capa	Fernando Cornacchia
Imagem de capa	Vera Ferro
Foto de capa	Rennato Testa
Coordenação	Beatriz Marchesini
Diagramação	DPG Editora
Revisão	Ana Carolina Freitas, Aurea Guedes de Tullio Vasconcelos, Juliana Palermo, Maria Lúcia A. Maier e Pamela Andrade

---

Dados Internacionais de Catalogação na Publicação (CIP)
(Câmara Brasileira do Livro, SP, Brasil)

Alves, Rubem
　　As melhores crônicas de Rubem Alves. – 4ª ed. – Campinas, SP: Papirus, 2012.

ISBN 978-85-308-0865-5

1. Crônicas brasileiras I. Título.

12-01010　　　　　　　　　　　　　　　　　　　　　CDD-869.93

Índices para catálogo sistemático:
1. Crônicas: Literatura brasileira　　　　　　　　869.93

4ª Edição – 2012
12ª Reimpressão – 2024

Exceto no caso de citações, a grafia deste livro está atualizada segundo o Acordo Ortográfico da Língua Portuguesa adotado no Brasil a partir de 2009.

Proibida a reprodução total ou parcial da obra de acordo com a lei 9.610/98.
Editora afiliada à Associação Brasileira dos Direitos Reprográficos (ABDR).

DIREITOS RESERVADOS PARA A LÍNGUA PORTUGUESA:
© M.R. Cornacchia Editora Ltda. – Papirus Editora
R. Barata Ribeiro, 79, sala 316 – CEP 13023-030 – Vila Itapura
Fone: (19) 3790-1300 – Campinas – São Paulo – Brasil
E-mail: editora@papirus.com.br – www.papirus.com.br

As melhores crônicas de
Rubem Alves

PAPIRUS

Sumário

Andar de manhã 6
É assim que acontece a bondade 10
Três causos 14
A pipoca 18
Saúde mental 22
Sobre política e jardinagem 26
Casas que emburrecem 32
Quando a dor se transforma em poema 38
As velas 42
Violinos velhos tocam música... 46
Abelardo e Heloísa 50
O acorde final 54
O batizado 58
A lagoa 62
"Estou ficando louca..." 68

Em louvor à inutilidade 72
Fazer nada 76
"Se é bom ou se é mau..." 80
O olhar adulto 84
O nome 88
As mil e uma noites 92
O *blazer* vermelho 96
O jardineiro e a *Fräulein* 100
A solidão amiga 104
Cartas de amor 110
Tênis *x* frescobol 114
"E os velhos se apaixonarão de novo..." 118
É conversando que a gente se desentende 122
Por um casamento 126
Escutatória 130

Andar de manhã

       Durante as duas últimas semanas tenho começado os meus dias cometendo um furto. Não sei como evitar esse pecado e, para dizer a verdade, não quero evitá-lo. A culpa é de uma amoreira que, desobedecendo às ordens do muro que a cerca, lançou seus galhos sobre a calçada. Não satisfeita, encheu-os de gordas amoras pretas, apetitosas, tentadoras, ao alcance de minha mão. Parece que os frutos são, por vocação, convites a furtos: basta mudar a ordem de uma única letra... Penso que o caso da amoreira comprova esta tese linguística: tudo tem a ver com o nome. Pois amora é palavra que, se repetida muitas vezes, amoramoramoramoramora, vira amor. Pois não é isso que é o amor? Um desejo de comer, um desejo de ser comido... O muro, tal como o mandamento, diz que é proibido. Mas o amor não se contém e, travestido de amora, salta por cima da proibição. Foi assim no Paraíso... Os poucos transeuntes que passam por ali àquela hora da manhã talvez se espantem ao ver um homem de cabelos brancos colhendo amoras proibidas. Mas, se prestarem bem atenção, verão que quem está ali não é um homem com cerca de 70 anos, é um menino. E como foi o próprio filho de Deus que disse que é preciso voltar a ser menino para entrar no Reino dos Céus, colho e como as amoras com convicção redobrada. E para que não pairem dúvidas sobre a inspiração teologal do meu ato, enquanto mastigo e o caldo roxo me suja dedos e boca, vou repetindo as palavras sagradas: "Tomai e bebei, este é o meu sangue...". Ah! A divina amora, graciosa dádiva sacramental! Começo assim o meu dia, furtando o fruto mágico que opera o milagre por todos sonhado de voltar a ser criança.

Assim revigorado no corpo e na alma por esse maná divino caído dos céus, prossigo na minha caminhada matutina. Ando não mais que 50 passos e estou sob uma longa alameda de pinheiros. Neles, não há nenhuma fruta que eu possa roubar, pois nada produzem que possa ser comido. Pinheiros não são para a boca. São dádivas aos olhos. É cedo ainda. O sol acabado de nascer ilumina suas espículas verdes, que brilham como agulhas de cristal. Lembro-me de Le Corbusier, que dizia que "as alegrias essenciais são o sol, o espaço, o verde". Mas os pinheiros sabem mais que o arquiteto, e às alegrias da luz acrescentam as alegrias do cheiro. Respiro fundo e sinto o perfume de resina.

Se me perguntarem no que penso, respondo com um verso Tao: "O barulho da água diz o que eu penso". Penso as amoras, penso os pinheiros, penso a luz do sol, penso o cheiro da resina.

É tempo da floração das sibipirunas. Verdes e amarelas, elas cresceram dos dois lados da rua onde ando, transformando-a num longo túnel sombrio. Durante a noite, suas flores caíram, cobrindo a calçada e transformando-a num tapete dourado. Desço da calçada e ando no asfalto para não pisá-las. Lembro-me da voz misteriosa que falou a Moisés, de dentro da sarça que ardia: "Tira as sandálias dos teus pés, pois o chão onde pisas é santo".

Para contemplar esse espetáculo, é necessário levantar cedo, pois logo as donas de casa e suas vassouras tratarão de restaurar no cimento a sua fria limpeza. Isso me dói, e com a dor vem o pensamento. Pergunto-me sobre a educação perversa que fez com que as pessoas se tornassem cegas para a beleza generosa das árvores, tratando suas flores como se fossem sujeira. Mas as sibipirunas, indiferentes à cegueira dos homens e das vassouras, repetirão o milagre durante a noite. Amanhã as calçadas estarão de novo cobertas de ouro.

Caminho um pouco mais e chego ao Bosque dos Alemães. Espera-me ali um outro deleite, o deleite dos ouvidos: há uma infinidade de cantos de pássaros que se misturam ao barulho das folhas sopradas pelo vento. Não estou sozinho. Fazem-me companhia muitas outras pessoas, entregues ao exercício matutino do andar e do correr. Estão ali por medo de morrer antes da hora. É preciso exercitar o coração. Mas parece que é só isso que exercitam. Pois, por mais que me esforce, não consigo perceber em seus rostos sinais de que estejam exercitando também o deleite dos olhos, do nariz ou dos ouvidos. Correm e caminham com olhos fixos no chão, graves e concentradas, compelidas pelas necessidades médicas. E, por causa disso, por não saberem ver e ouvir, não se dão conta de um comovente caso de amor que ali se desenrola. Percebi o romance faz muito tempo, quando ouvi os gemidos que me vinham do alto. Lá em cima, longe dos olhares indiscretos, um gigantesco eucalipto e uma árvore de rolha se abraçam. Seus galhos entrelaçados revelam o amor dos namorados. Acho que fazem amor, pois, quando o vento sopra fazendo suas cascas se esfregarem uma na outra, elas gemem de prazer... e dor.

Ando toda manhã. Por razões médicas, é bem verdade. Mas, mesmo que não existissem, andaria da mesma forma, pelos pensamentos leves e alegres que a natureza me faz pensar. Boa psicanalista é a natureza, sem nada cobrar, pelos sonhos de amor que nos faz sonhar.

É assim que acontece a bondade

"Se te perguntarem quem era essa que às areias e gelos quis ensinar a primavera...": é assim que Cecília Meireles inicia um de seus poemas. Ensinar primavera às areias e aos gelos é coisa difícil. Gelos e areias nada sabem sobre primaveras... Pois eu desejaria saber ensinar a solidariedade a quem nada sabe sobre ela. O mundo seria melhor. Mas como ensiná-la?

Será possível ensinar a beleza de uma sonata de Mozart a um surdo? Como, se ele não ouve? E poderei ensinar a beleza das telas de Monet a um cego? De que pedagogia irei me valer para comunicar cores e formas a quem não vê? Há coisas que não podem ser ensinadas. Há coisas que estão além das palavras. Os cientistas, os filósofos e os professores são aqueles que se dedicam a ensinar as coisas que podem ser ensinadas. Coisas que podem ser ensinadas são aquelas que podem ser ditas. Sobre a solidariedade muitas coisas podem ser ditas. Por exemplo: acho possível desenvolver uma psicologia da solidariedade. Acho também possível desenvolver uma sociologia da solidariedade. E, filosoficamente, uma ética da solidariedade... Mas os saberes científicos e filosóficos da solidariedade não ensinam a solidariedade, da mesma forma como a crítica da música e da pintura não ensina às pessoas a beleza da música e da pintura. A solidariedade, como a beleza, é inefável – está além das palavras.

Palavras que ensinam são gaiolas para pássaros engaioláveis. Os saberes, todos eles, são pássaros engaiolados. Mas a solidariedade é um pássaro que não pode ser engaiolado. Ela não pode ser dita. A solidariedade pertence a uma classe de pássaros que só existem em voo. Engaiolados, esses pássaros morrem.

A beleza é um desses pássaros. A beleza está além das palavras. Walt Whitman tinha consciência disso quando disse: "Sermões e lógicas jamais convencem. O peso da noite cala bem mais fundo em minha alma". Ele conhecia os limites das suas próprias palavras. E Fernando Pessoa sabia que aquilo que o poeta quer comunicar não se encontra nas palavras que ele diz; antes, aparece nos espaços vazios que se abrem entre elas, as palavras. Nesse espaço vazio se ouve uma música. Mas essa música – de onde vem ela se não foi o poeta que a tocou?

Não é possível fazer uma prova sobre a beleza porque ela não é um conhecimento. Tampouco é possível comandar a emoção diante da beleza. Somente atos podem ser comandados. "Ordinário! Marche!", o sargento ordena. Os recrutas obedecem. Marcham. À ordem segue-se o ato. Mas sentimentos não podem ser comandados. Não posso ordenar que alguém sinta a beleza que estou sentindo.

O que pode ser ensinado são as coisas que moram no mundo de fora: astronomia, física, química, gramática, anatomia, números, letras, palavras.

Mas há coisas que não estão do lado de fora. Coisas que moram dentro do corpo. Estão enterradas na carne, como se fossem sementes à espera...

Sim, sim! Imagine isso: o corpo como um grande canteiro! Nele se encontram, adormecidas, em estado de latência, as mais variadas sementes – lembre-se da estória da Bela Adormecida! Elas poderão acordar, brotar. Mas poderão também não brotar. Tudo depende... As sementes não brotarão se sobre elas houver uma pedra. E também pode acontecer que, depois de brotarem, elas sejam arrancadas... De fato, muitas plantas precisam ser arrancadas, antes que cresçam. Nos jardins há pragas: tiriricas, picões...

Uma dessas sementes é a "solidariedade". A solidariedade não é uma entidade do mundo de fora, ao lado de estrelas, pedras, mercadorias, dinheiro, contratos. Se ela fosse uma entidade do mundo de fora, poderia ser ensinada e produzida. A solidariedade é uma entidade do mundo interior. Solidariedade nem se ensina, nem se ordena, nem se produz. A solidariedade tem de brotar e crescer como uma semente...

Veja o ipê florido! Nasceu de uma semente. Depois de crescer, não será necessária nenhuma técnica, nenhum estímulo, nenhum truque para que ele floresça. Angelus Silesius, místico antigo, tem um verso que diz: "A rosa é sem porquê, floresce porque floresce". O ipê floresce porque floresce. Seu florescer é um simples transbordar natural da sua verdade.

A solidariedade é como o ipê: nasce e floresce. Mas não em decorrência de mandamentos éticos ou religiosos. Não se pode ordenar: "Seja solidário!". A solidariedade acontece como um simples transbordamento: as fontes transbordam... Da mesma forma como o poema é um transbordamento da alma do poeta e a canção, um transbordamento da alma do compositor...

Já disse que solidariedade é um sentimento. É esse o sentimento que nos torna humanos. É um sentimento estranho, que perturba nossos próprios sentimentos. A solidariedade me faz sentir sentimentos que não são meus, que são de um outro. Acontece assim: eu vejo uma criança vendendo balas num semáforo. Ela me pede que eu compre um pacotinho das suas balas. Eu e a criança – dois corpos separados e distintos. Mas, ao olhar para ela, estremeço: algo em mim me faz imaginar aquilo que ela está sentindo. E então, por uma magia inexplicável, esse sentimento imaginado se aloja junto dos meus próprios sentimentos. Na verdade, desaloja meus sentimentos, pois eu vinha, no meu carro, com sentimentos leves e alegres, e agora esse novo sentimento se coloca no lugar deles. O que sinto não são meus sentimentos. Foram-se a leveza e a alegria que me faziam cantar. Agora, são os sentimentos daquele menino que estão dentro de mim. Meu corpo sofre uma transformação: ele não é mais limitado pela pele que o cobre. Expande-se. Ele está agora ligado a um outro corpo que passa a ser parte dele mesmo. Isso não acontece nem por decisão racional, nem por convicção religiosa, nem por um mandamento ético. É o jeito natural de ser do meu próprio corpo, movido pela solidariedade. Acho que esse é o sentido do dito de Jesus de que temos de amar o próximo como amamos a nós mesmos. A solidariedade é a forma visível do amor. Pela magia do sentimento de solidariedade, meu corpo passa a ser morada do outro. É assim que acontece a bondade.

Mas fica pendente a pergunta inicial: como ensinar primaveras a gelos e areias? Para isso as palavras do conhecimento são inúteis. Seria necessário fazer nascer ipês no meio dos gelos e das areias! E eu só conheço uma palavra que tem esse poder: a palavra dos poetas. Ensinar solidariedade? Que se façam ouvir as palavras dos poetas nas igrejas, nas escolas, nas empresas, nas casas, na televisão, nos bares, nas reuniões políticas, e, principalmente, na solidão...

"O menino me olhou com olhos suplicantes.

E, de repente, eu era um menino que olhava com olhos suplicantes...".

Três causos

Embora ganhasse a vida como ourives, todos sabiam que ele, pela graça de Deus, nascera músico. Era justo, portanto, que todos o tratassem como "maestro" Tonico, seu nome completo sendo Antônio Martins de Araújo. Que não se tratava de figura lendária provam os seus instrumentos de trabalho que examinei pessoalmente, os de ourives, rústicos, mas, sobretudo, o diapasão fiel que continua hoje a vibrar o "lá" da mesma forma como o fez vibrar na cidade de Goiás Velho, lugar onde vivia o maestro. O que faz um músico não é o instrumento, é o ouvido, e o ouvido do maestro Tonico era perfeito.

Tão forte era a música no corpo do maestro Tonico que todos os seus seis filhos nasceram músicos. A explicação mais provável para essa aparente coincidência é que, talvez, no momento supremo do ato de amor, o maestro deveria estar sonhando com alguma música. Violino, clarineta, flauta, bandolim, cítara e violoncelo faziam uma bela orquestra doméstica. E essa era a felicidade suprema do maestro Tonico: ver os filhos juntos, afinados, tocando sob o comando da sua batuta.

Bach tinha algo em comum com o maestro Tonico. Era um modesto organista numa cidade do interior. Nunca teve fama ou reconhecimento. Um dos seus patrões se refere a ele, numa carta, como "músico medíocre". Tinha por obrigação semanal compor peças sacras para a liturgia do culto luterano. Suas composições, uma vez executadas, eram esquecidas e guardadas em canastras e estantes em algum quarto da igreja. Surpreendido pela morte no meio da composição da *Arte da fuga*, ninguém ligou para o que deixara escrito. Seus manuscritos foram vendidos para um açougueiro que os usava para embrulhar carne. Mendelssohn, por acaso, foi comprar carne do tal açougueiro. Mas ele logo se desinteressou da carne, assombrado com o que via escrito no papel em que ela viera embrulhada. E foi assim que Bach foi descoberto no lugar mais deprimente do mundo: embrulhando carne num açougue. Graças a Deus que Mendelssohn não era vegetariano!

Coisa semelhante aconteceu com as composições do maestro Tonico, sem um final feliz semelhante. O baú em que ele guardava suas composições foi transferido, após a sua morte, para um daqueles porões escuros, comuns nas casas antigas de pau a pique. Aconteceu que, havendo alguém deixado aberta a porta do porão, ali entrou uma cabra ignorante de música que devorou todas as composições do maestro Tonico.

Bonita, mesmo, foi a morte do maestro. Enfermo de câncer, sofrido, enfraquecido, estava cercado pela família. Goiás Velho, como todas as cidades antigas de tradição cultural, tinha um coreto onde a banda municipal dava seus concertos. Do quarto do maestro Tonico agonizante ouvia-se a banda. Pois, de repente, o maestro Tonico, até então indiferente, agitou-se, mostrando que queria falar. Todos se aproximaram, ouvidos atentos. Um dos seus filhos segurou a sua cabeça e ele balbuciou em agonia: "A clarineta desafinou o si bemol". Ditas essas palavras, entregou a alma a

Deus. Ele não podia permitir que sua morte fosse perturbada por um si bemol desafinado.

* * *

Tristeza eu tenho porque muitas das coisas que moram na minha alma não podem ser comunicadas. Por mais que eu diga e explique, quem ouve não entende. É o caso do carro de bois. Os que não sabem pensam que o carro de bois era um meio de transporte primitivo. Os que sabem sabem que o carro de bois, antes de ser um meio de transporte, era um instrumento musical. A começar do formato. Visto de cima, o seu corpo se parece com o corpo de um violino. Carreiro carreava para fazer o carro de bois cantar. E até jogava água no buraco da roda para que o canto saísse mais sofrido. Era um lamento sem fim, gemido apaixonado. Zeca Carreiro carreava em Mossâmedes, cidade no interior de Goiás. Chegando perto da cidade, ele se apressava, jogava água no buraco da roda, queria que o lamento do seu carro fosse ouvido e sofrido por todo mundo. "Tá cantando apaixonado", ele dizia orgulhoso. E assim entrava na cidade, com o orgulho de um grande músico que sabe tocar o seu instrumento.

O tempo passou. Zeca Carreiro foi atacado pelo mal que ataca muitos músicos, a surdez. Igual a Beethoven, Zeca Carreiro não mais ouvia a música que seu carro tocava. Mas ele continuava a carrear, tinha de carrear – era o seu ganha-pão. Seu neto o ajudava, ia à frente dos bois como guia. Chegando perto da cidade, sem nada ouvir, ele perguntava ao neto: "Zinho, o carro está cantando?". "Tá sim, vovô", o neto confirmava com um aceno. "Cantando apaixonado?", insistia o avô. O menino sorria, o avô compreendia. Zeca Carreiro se aprumava como nos velhos tempos e entrava na cidade como um regente de orquestra.

* * *

Herodiano: esse era o nome dele. Que ideia estranha teria levado alguém a batizar o filhinho com um nome-homenagem ao rei matador de criancinhas, Herodes! Mas o nome não influenciou: ele era uma pessoa mansa e alegre, todo mundo gostava dele e o chamava pelo apelido de Diano. Só fez até o 3º ano do grupo, mas estudou por conta própria, gostava de literatura, teatro, e esnobava francês nos restaurantes caros do Rio de Janeiro que frequentava. Isso porque, por sorte e esforço, ele ficara rico, muito rico. Era, inclusive, dono de cinema, mudo, centro cultural da cidade. Isso lá pelos anos 20. Pois aconteceu que, inesperadamente, chegou a Dores um casalzinho de artistas, ela uma jovem loura da capital. Em Dores não havia nem hotel nem pensão. O jeito foi os dois se hospedarem na casa do Diano. Queriam dar um espetáculo de arte. Alugaram o cinema. Cidadezinha pequena, os homens entusiasmados com a loura, as mulheres com ciúmes da loura e raiva dos maridos, era de todo improvável que o cinema enchesse. O Diano imaginou os dois, diante do auditório vazio. Ficou com dó. E tomou uma decisão de homem rico que pode jogar dinheiro fora: comprou de si mesmo a lotação total do teatro e distribuiu os bilhetes gratuitamente pela cidade. O teatro encheu. O espetáculo foi um sucesso. O casalzinho de artistas ficou encantado. Deixaram Dores felizes, carteira cheia. Nunca suspeitaram do que havia ocorrido. O nome do artista eu não sei. O nome da artista era Dercy Gonçalves. Até hoje ela não sabe. Eu sei porque quem me contou foi o Diano, meu pai.

A pipoca

A culinária me fascina. De vez em quando eu até me atrevo a cozinhar. Mas o fato é que sou mais competente com as palavras que com as panelas. Por isso tenho mais escrito sobre comidas que cozinhado. Dedico-me a algo que poderia ter o nome de "culinária literária". Já escrevi sobre as mais variadas entidades do mundo da cozinha: cebolas, ora-pro-nóbis, picadinho de carne com tomate, feijão e arroz, bacalhoada, suflês, sopas, churrascos. Cheguei mesmo a dedicar metade de um livro poético-filosófico a uma meditação sobre o filme *A festa de Babette*, que é uma celebração da comida como ritual de feitiçaria. Sabedor das minhas limitações e competências, nunca escrevi como *chef.* Escrevi como filósofo, poeta, psicanalista e teólogo – porque a culinária estimula todas essas funções do pensamento.

As comidas, para mim, são entidades oníricas. Provocam a minha capacidade de sonhar. Nunca imaginei, entretanto, que chegaria um dia em que a pipoca iria me fazer sonhar. Pois foi precisamente isso que aconteceu. A pipoca, milho mirrado, grãos redondos e duros, sempre me pareceu uma simples molecagem, brincadeira deliciosa, sem dimensões metafísicas ou psicanalíticas. Entretanto, dias atrás, conversando com uma paciente, ela mencionou a pipoca. E algo inesperado na minha mente aconteceu. Minhas ideias começaram a estourar como pipoca. Percebi, então, a relação metafórica entre a pipoca e o ato de pensar. Um bom pensamento nasce como uma pipoca que estoura, de forma inesperada e imprevisível. A pipoca se revelou a mim, então, como um extraordinário objeto poético. Poético porque, ao pensar nelas, as pipocas, meu pensamento se pôs a dar estouros e pulos como aqueles das pipocas dentro de uma panela.

Lembrei-me do sentido religioso da pipoca. A pipoca tem sentido religioso? Pois tem. Para os cristãos, religiosos são o pão e o vinho, que simbolizam o corpo e o sangue de Cristo, a mistura de vida e alegria (porque vida, só vida, sem alegria, não é vida...). Pão e vinho devem ser bebidos juntos. Vida e alegria devem existir juntas. Lembrei-me, então, da lição que aprendi com a Mãe Stella, sábia poderosa do candomblé baiano: que a pipoca é a comida sagrada do candomblé...

A pipoca é um milho mirrado, subdesenvolvido. Fosse eu agricultor ignorante, e se no meio dos meus milhos graúdos aparecessem aquelas espigas nanicas, eu ficaria bravo e trataria de me livrar delas. Pois o fato é que, do ponto de vista de tamanho, os milhos da pipoca não podem competir com os milhos normais. Não sei como isso aconteceu, mas o fato é que houve alguém que teve a ideia de debulhar as espigas e colocá-las numa panela sobre o fogo, esperando que assim os grãos amolecessem e pudessem ser comidos. Havendo fracassado a experiência com água, tentou a gordura. O que aconteceu, ninguém jamais poderia ter imaginado. Repentinamente os grãos começaram a estourar, saltavam da panela com uma enorme barulheira. Mas o extraordinário era o que acontecia com eles: os grãos duros quebra-dentes se transformavam em flores brancas e macias que até as crianças podiam comer. O estouro das pipocas se transformou, então, de uma simples operação culinária, em uma festa, brincadeira, molecagem, para os riscos de todos, especialmente das crianças. É muito divertido ver o estouro das pipocas!

E o que é que isso tem a ver com o candomblé? É que a transformação do milho duro em pipoca macia é símbolo da grande transformação por que devem passar os homens para que eles venham a ser o que devem ser. O milho da pipoca não é o que deve ser. Ele deve ser aquilo que acontece depois do estouro. O milho da pipoca somos nós: duros, quebra-dentes, impróprios para comer; pelo poder do fogo podemos, repentinamente, nos transformar em outra coisa – voltar a ser crianças!

Mas a transformação só acontece pelo poder do fogo. Milho de pipoca que não passa pelo fogo continua a ser milho de pipoca, para sempre. Assim acontece com a gente. As grandes transformações acontecem quando passamos pelo fogo. Quem não passa pelo fogo fica do mesmo jeito, a vida inteira. São pessoas de uma mesmice e de uma dureza assombrosas. Só que elas não percebem. Acham que o seu jeito de ser é o melhor jeito de ser. Mas, de repente, vem o fogo. O fogo é quando a vida nos lança numa situação que nunca imaginamos. Dor. Pode ser fogo de fora: perder um amor, perder um filho, ficar doente, perder um emprego, ficar pobre. Pode ser fogo de dentro. Pânico, medo, ansiedade, depressão – sofrimentos cujas causas ignoramos. Há sempre o recurso aos remédios. Apagar o fogo. Sem fogo o sofrimento diminui. E com isso a possibilidade da grande transformação.

Imagino que a pobre pipoca, fechada dentro da panela, lá dentro ficando cada vez mais quente, pense que sua hora chegou: vai morrer. De dentro de sua casca dura, fechada em si mesma, ela não pode imaginar destino diferente. Não pode imaginar a transformação que está sendo preparada. A pipoca não imagina aquilo de que ela é capaz. Aí, sem aviso prévio, pelo poder do fogo, a grande transformação acontece: pum! – e ela aparece como uma outra coisa, completamente diferente, que ela mesma nunca havia sonhado. É a lagarta rastejante e feia que surge do casulo como borboleta voante.

Na simbologia cristã o milagre do milho de pipoca está representado pela morte e ressurreição de Cristo: a ressurreição é o estouro do milho de pipoca. É preciso deixar de ser de um jeito para ser de outro. "Morre e transforma-te!", dizia Goethe.

Em Minas, todo mundo sabe o que é piruá. Falando sobre os piruás com os paulistas, descobri que eles ignoram o que sejam. Alguns, inclusive, acharam que era gozação minha, que piruá é palavra inexistente. Cheguei a ser forçado a me valer do *Aurélio* para confirmar o meu conhecimento da língua. Piruá é o milho de pipoca que se recusa a estourar. Meu amigo William, extraordinário professor pesquisador da Unicamp, especializou-se em milhos e desvendou cientificamente o assombro do estouro da pipoca. Com certeza ele tem uma explicação científica para os piruás. Mas, no mundo da poesia, as explicações científicas não valem. Por exemplo: em Minas "piruás" é o nome que se dá às mulheres que não conseguiram casar. Minha prima, passada dos 40, lamentava: "Fiquei piruá!". Mas acho que o poder metafórico dos piruás é muito maior. Piruás são aquelas pessoas que, por mais que o fogo esquente, se recusam a mudar. Elas acham que não pode existir coisa mais maravilhosa do que o jeito de elas serem. Ignoram o dito de Jesus: "Quem preservar a sua vida perdê-la-á". A sua presunção e o seu medo são a dura casca do milho que não estoura. O destino delas é triste. Vão ficar duras a vida inteira. Não vão se transformar na flor branca macia. Não vão dar alegria para ninguém. Terminado o estouro alegre da pipoca, no fundo da panela ficam os piruás que não servem para nada. Seu destino é o lixo.

Quanto às pipocas que estouraram, são adultos que voltaram a ser crianças e que sabem que a vida é uma grande brincadeira...

Saúde mental

Fui convidado a fazer uma preleção sobre saúde mental. Os que me convidaram supuseram que eu, na qualidade de psicanalista, deveria ser um especialista no assunto. E eu também pensei. Tanto que aceitei. Mas foi só parar para pensar para me arrepender. Percebi que nada sabia. Eu me explico.

Comecei o meu pensamento fazendo uma lista das pessoas que, do meu ponto de vista, tiveram uma vida mental rica e excitante, pessoas cujos livros e obras são alimento para a minha alma. Nietzsche, Fernando Pessoa, Van Gogh, Wittgenstein, Cecília Meireles, Maiakovski. E logo me assustei. Nietzsche ficou louco. Fernando Pessoa era dado à bebida. Van Gogh matou-se. Wittgenstein alegrou-se ao saber que iria morrer em breve: não suportava mais viver com tanta angústia. Cecília Meireles sofria de uma suave depressão crônica. Maiakovski suicidou-se. Todas elas, pessoas lúcidas e profundas que continuarão a ser pão para os vivos muito depois de nós termos sido completamente esquecidos.

Mas será que tinham saúde mental? Saúde mental, essa condição em que as ideias comportam-se bem, sempre iguais, previsíveis, sem surpresas, obedientes ao comando do dever, todas as coisas nos seus lugares, como soldados em ordem-unida, jamais permitindo que o corpo falte ao trabalho, ou que faça algo inesperado; nem é preciso dar uma volta ao mundo num barco a vela, basta fazer o que fez a Shirley Valentine (se ainda não viu, veja o filme!) ou ter um amor proibido ou, mais perigoso que tudo isso, a coragem de pensar o que nunca pensou. Pensar é coisa muito perigosa...

Não, saúde mental elas não tinham. Eram lúcidas demais para isso. Elas sabiam que o mundo é controlado pelos loucos e idosos de gravata. Sendo donos do poder, os loucos passam a ser os protótipos da saúde mental. Claro que nenhum dos nomes que citei sobreviveria aos testes psicológicos a que teria de se submeter se fosse pedir emprego numa empresa. Por outro lado, nunca ouvi falar de políticos que tivessem estresse ou depressão. Andam sempre fortes em passarelas pelas ruas da cidade, distribuindo sorrisos e certezas.

Sinto que meus pensamentos podem parecer pensamentos de louco e por isso apresso-me aos devidos esclarecimentos.

Nós somos muito parecidos com computadores. O funcionamento dos computadores, como todo mundo sabe, requer a interação de duas partes. Uma delas chama-se *hardware*, literalmente, "equipamento duro", e a outra denomina-se *software*, "equipamento macio". O *hardware* é constituído por todas as coisas sólidas com que o aparelho é feito. O *software* é constituído por entidades "espirituais" – símbolos que formam os programas e são gravados nos disquetes.

Nós também temos um *hardware* e um *software*. O *hardware* são os nervos do cérebro, os neurônios, tudo aquilo que compõe o sistema nervoso. O *software* é constituído por uma série de programas que ficam gravados na memória. Do mesmo jeito como nos computadores, o que fica na memória são símbolos, entidades levíssimas, dir-se-ia mesmo "espirituais", sendo que o programa mais importante é a linguagem.

Um computador pode enlouquecer por defeitos no *hardware* ou por defeitos no *software*. Nós também. Quando o nosso *hardware* fica louco, há que se chamar psiquiatras e neurologistas, que virão com suas poções químicas e bisturis consertar o que se estragou. Quando o problema está no *software*, entretanto, poções e bisturis não funcionam. Não se conserta um programa com chave de fenda. Porque o *software* é feito de símbolos, somente símbolos podem entrar dentro dele. Assim, para se lidar com o *software*, há que se fazer uso de símbolos. Por isso, quem trata das perturbações do *software* humano nunca se vale de recursos físicos para tal. Suas ferramentas são palavras, e eles podem ser poetas, humoristas, palhaços, escritores, gurus, amigos e até mesmo psicanalistas.

Acontece, entretanto, que esse computador que é o corpo humano tem uma peculiaridade que o diferencia dos outros: o seu *hardware*, o corpo, é sensível às coisas que o seu *software* produz. Pois não é isso que acontece conosco? Ouvimos uma música e choramos. Lemos os poemas eróticos do Drummond e o corpo fica excitado.

Imagine um aparelho de som. Imagine que o toca-discos e os acessórios, o *hardware*, tenham a capacidade de ouvir a música que ele toca e de se comover. Imagine mais, que a beleza é tão grande que o *hardware* não a comporta e se arrebenta de emoção! Pois foi isso que aconteceu com aquelas pessoas que citei no princípio: a música que saía do seu *software* era tão bonita que o seu *hardware* não suportou.

Dados esses pressupostos teóricos, estamos agora em condições de oferecer uma receita que garantirá, àqueles que a seguirem à risca, saúde mental até o fim dos seus dias.

Opte por um *soft* modesto. Evite as coisas belas e comoventes. A beleza é perigosa para o *hardware*. Cuidado com a música.

Brahms e Mahler são especialmente contraindicados. Já o *rock* pode ser tomado à vontade. Quanto às leituras, evite aquelas que fazem pensar. Há uma vasta literatura especializada em impedir o pensamento. Se há livros do doutor Lair Ribeiro, por que se arriscar a ler Saramago? Os jornais têm o mesmo efeito. Devem ser lidos diariamente. Como eles publicam diariamente sempre a mesma coisa com nomes e caras diferentes, fica garantido que o nosso *software* pensará sempre coisas iguais. E, aos domingos, não se esqueça do Silvio Santos e do Gugu Liberato.

Seguindo esta receita, você terá uma vida tranquila, embora banal. Mas como você cultivou a insensibilidade, você não perceberá o quão banal ela é. E, em vez de ter o fim que tiveram as pessoas que mencionei, você se aposentará para, então, realizar os seus sonhos. Infelizmente, entretanto, quando chegar tal momento, você já terá se esquecido de como eles eram.

Sobre política e jardinagem

De todas as vocações, a política é a mais nobre. Vocação, do latim *vocare*, quer dizer "chamado". Vocação é um chamado interior de amor. Amor não por um homem ou por uma mulher, mas por um "fazer". Esse "fazer" marca o lugar onde o vocacionado quer fazer amor com o mundo. Ali, no lugar do seu "fazer", ele deseja penetrar, gozar, fecundar. Psicologia de amante: faria, mesmo que não ganhasse nada. Faria, mesmo que seu fazer o colocasse em perigo. Muitos amantes morreram por causa de efêmeros momentos de gozo num amor proibido.

A vocação política é uma paixão por um jardim. Vou explicar. "Política" vem de *polis*, cidade. A cidade era, para os gregos, um espaço seguro, ordenado e manso, onde os homens podiam se dedicar à busca da felicidade. O político é aquele que cuida desse espaço. A vocação política, assim, está a serviço da felicidade dos cidadãos, os moradores da cidade.

Ao contrário dos gregos, para os hebreus esse espaço de vida não era representado pela cidade. Deus não criou uma cidade. Ele criou um jardim. Seu Deus não era um urbanista, era um jardineiro, inventor de paraísos. Talvez pelo fato de terem sido nômades no deserto. Quem mora no deserto sonha com oásis. Assim, o jardim era para os hebreus aquilo que a *polis* era para os gregos. Se perguntássemos a um profeta hebreu "o que é política?", ele nos responderia: "a arte da jardinagem aplicada às coisas públicas".

O político por vocação é um apaixonado pelo grande jardim para todos. Seu amor é tão grande que ele abre mão do pequeno jardim que ele poderia plantar, para si mesmo. De que vale um pequeno jardim se à sua volta está o deserto? É preciso que o deserto inteiro se transforme em jardim.

Amo minha vocação, que é escrever. Mas sei que a beleza da literatura é fraca. Poeminha de Emily Dickinson:

Para fazer uma campina
Basta um só trevo e uma abelha.
Trevo, abelha e fantasia.
Ou apenas fantasia
Na falta de abelhas.

Seria bom se fosse verdade. Mas o fato é que fantasias não bastam para plantar jardins. Para se transformarem em jardins, as fantasias precisam de abelhas: braços, ferramentas, poder. Mas poder é o que o poeta não tem. Mas o político tem. Um político por vocação é um poeta forte. Ele tem poder para cavar, plantar, cuidar, arrancar, podar, fazer muros. Políticos fazem leis e tomam as providências para que sejam cumpridas. A nobreza da vocação política está em que ela tem o poder para transformar o sonho de um jardim num jardim de verdade onde a vida acontece.

É uma vocação tão feliz que Platão sugeriu que os políticos não precisam possuir nada como propriedade privada. Não faz sentido ter um jardim privado quando se é jardineiro do grande jardim. Por isso seria indigno que o jardineiro tivesse um espaço privilegiado, melhor e diferente do espaço ocupado por todos. As leis para o político são as leis para todos. Conheci e conheço muitos políticos por vocação. Sua vida foi e continua a ser um motivo de esperança.

Vocação é diferente de profissão. Na vocação, a pessoa encontra a felicidade na própria ação. Na profissão, o prazer se encontra não na ação, mas no ganho que dela se deriva. O profissional, somente profissional, faz seu "fazer" não por amor a ele, mas por amor a algo fora dele: o salário, o ganho, o lucro, a vantagem. O homem movido pela vocação é um amante. O profissional, ao contrário, não ama a mulher, ele a usa para vantagem própria. Gigolô.

Todas as vocações podem ser transformadas em profissões: aos profetas seguem-se os mercenários... O jardineiro por vocação dá sua vida pelo jardim de todos. O jardineiro por profissão usa o jardim de todos para construir seu jardim privado, ainda que, para que isso aconteça, ao seu redor aumentem o deserto e o sofrimento.

Assim é a política. São muitos os políticos profissionais. Posso, então, enunciar minha segunda tese: de todas as profissões, a profissão política é a mais vil. O que explica o desencanto total do povo em relação à política. Ninguém acredita no que eles dizem.

Guimarães Rosa, perguntado por Günter Lorenz se ele se considerava político, respondeu:

> Eu jamais poderia ser político com toda essa charlatanice da realidade... Os políticos estão sempre falando de lógica, razão, realidade e outras coisas do gênero e ao mesmo tempo vão praticando os atos mais irracionais que se possa imaginar. Ao contrário dos "legítimos" políticos, acredito no homem e lhe desejo um futuro. O

político pensa apenas em minutos. Sou escritor e penso em eternidades. Eu penso na ressurreição do homem.

Quem pensa em minutos não tem paciência para plantar árvores. Uma árvore leva muitos anos para crescer. É muito mais lucrativo cortá-las.

Nosso futuro depende dessa luta entre políticos por vocação e políticos por profissão. O triste é que muitos que sentem o chamado da política não têm coragem de atender a ele, por medo da vergonha de ter de conviver com gigolôs. Eu mesmo – mas agora já é muito tarde.

Escrevo para você, jovem, para seduzi-lo a se tornar jardineiro. Talvez haja um político adormecido dentro de você (como na estória da "Bela Adormecida"...). A escuta da vocação é difícil, porque ela é perturbada pela barulheira das escolhas esperadas, normais, medicina, engenharia, computação, direito, ciência. Todas elas, legítimas, se forem vocação. Mas todas elas afunilantes: vão colocá-lo num pequeno canto do jardim, muito distante do lugar onde o destino do jardim é decidido. Não seria muito mais fascinante participar dos destinos do jardim?

Acabamos de celebrar os 500 anos do Descobrimento do Brasil. Os descobridores, ao chegarem, não encontraram um jardim. Encontraram uma selva. Selva não é jardim. Selvas são cruéis e insensíveis, indiferentes ao sofrimento e à morte. Uma selva é uma parte da natureza ainda não tocada pela mão do homem. Aquela selva poderia ter sido transformada num jardim. Não foi. Os políticos que sobre ela agiram não eram amantes. Lenhadores e madeireiros. Gigolôs. E foi assim que a selva, que poderia ter-se tornado jardim para a felicidade de todos, foi sendo transformada em desertos salpicados de luxuriantes jardins privados onde uns poucos encontram vida e prazer.

Há descobrimentos de origens. Mais belos são os descobrimentos de destinos.

Talvez, então, se os políticos por vocação se apossarem do jardim, poderemos começar a escrever uma nova história que não recorde o passado, mas uma história que celebre o futuro. Mas isso só acontecerá se os lenhadores e madeireiros forem expulsos e substituídos pelos jardineiros. Então, em vez de deserto e jardins privados, teremos um grande jardim para todos, obra de homens que tiveram o amor de plantar árvores à cuja sombra nunca se assentariam e que se alimentavam da comida que aves lhes traziam do futuro (Nietzsche): a alegria de ver homens, mulheres e crianças vivendo e brincando num jardim...

Casas que emburrecem

> O senhor concedendo, eu digo: para pensar longe, sou cão mestre – o senhor solte em minha frente uma ideia ligeira, e eu rastreio essa por fundo de todos os matos, amém!

Quem disse foi o Riobaldo, com o que concordo e também digo amém. Pois eu estava rastreando uns camundongos burros criados pelo professor Tsien e umas teorias do professor Reuben Feuerstein (pronuncia-se fóier-stáin) no meio de uma mataria de ideias quando topei com um menino de sandálias havaianas na porta do aeroporto de Guarapuava, que fez minha rastreação parar. O que ele me pedia era mais importante: pedia que eu lhe comprasse um salgadinho para ajudar. Parei, comprei, comi, perdi o rumo, deixei de rastrear os camundongos do professor Tsien e as teorias do professor Feuerstein, entrei por uma "digressão", meu pensamento excursionou ao sabor das minhas emoções – mas agora estou de volta, o faro de cão rastreador afinado de novo.

Pois o professor Tsien, da Universidade de Princeton, deu-se ao trabalho de criar camundongos mais burros que os domésticos. Se você se espanta com o fato de um cientista gastar tempo e dinheiro para produzir camundongos burros, desejo chamar a sua atenção para o fato de que a burrice é muito útil, do ponto de vista político e social. Aldous Huxley afirma que a estabilidade social do *Admirável mundo novo* se devia aos mecanismos psicopedagógicos cujo objetivo era emburrecer as pessoas. A educação se presta aos mais variados fins. Pessoas inteligentes, que vivem pensando e tendo ideias diferentes, são perigosas. Ao contrário, a ordem político-social é mais bem-servida por pessoas que pensam sempre os mesmos pensamentos, isto é, pessoas emburrecidas. Porque ser burro é precisamente isto, pensar os mesmos pensamentos – ainda que sejam pensamentos grandiosos. Prova disso são as sociedades das abelhas e das formigas, notáveis por sua estabilidade e capacidade de sobrevivência.

Os camundongos burros do professor Tsien, confrontados com situações problemáticas, eram sempre derrotados pelos camundongos domésticos. Mas o objetivo da pesquisa era inteligente. O professor Tsien queria testar uma teoria: a de que, se os camundongos burros fossem colocados em situações interessantes, estimulantes, desafiadoras, sua inteligência inferior construiria mecanismos que os tornariam inteligentes. Em outras palavras: limitações genéticas da inteligência podem ser compensadas pelos desafios do meio ambiente. Assim, ele colocou os camundongos burros em gaiolas que mais se pareciam com parques de diversão, dezenas de coisas a serem feitas, dezenas de situações a serem exploradas, dezenas de objetos curiosos. Como mesmo os burros têm curiosidade e gostam de fuçar, os camundongos começaram a agir. Depois de um certo período de tempo, colocados em situações idênticas juntamente com os camundongos domésticos, os camundongos burros tinham deixado de ser burros. Não ficaram de recuperação.

Não conheço a obra do professor Feuerstein. Suas teorias sobre a inteligência me foram contadas. Fiquei fascinado. Desejo que ele esteja certo. Pois o que ele pensa está de acordo com as conclusões de laboratório do professor Tsien. Feuerstein tem interesse especial em pessoas que, por fatores genéticos (síndrome de Down, por exemplo) ou ambientais (ambientes pobres econômica e culturalmente), tiveram suas inteligências prejudicadas. Diante de testes o seu desempenho é inferior ao de crianças "normais". Sua hipótese, testada e confirmada, é que, se tais pessoas forem colocadas em ambientes interessantes, desafiadores e variados, sua inteligência inferior sofrerá uma transformação para melhor. A inteligência se alimenta de desafios. Diante de desafios, ela cresce e floresce. Sem desafios, ela murcha e encolhe. As inteligências privilegiadas podem também ficar emburrecidas pela falta de excitação e desafios.

Isso me fez dar um pulo dos camundongos do professor Tsien, das teorias do professor Feuerstein, para as casas onde moramos. Nossas casas são um dos muitos ambientes em que vivemos. Cada ambiente é um estímulo para a inteligência. (É difícil ser inteligente num elevador. No elevador só há uma coisa a fazer: apertar um botão...) E pensei que há casas que emburrecem e há casas onde a inteligência pode florescer.

Não adianta ser planejada por arquiteto, rica, decorada por profissionais, cheia de objetos de arte. Não sei se decoração é arte que se aprende em escola. Se a decoração se aprende em escola, pergunto se existe, no currículo, uma matéria com o título "Decoração de emburrecer – Decoração para provocar a inteligência"... Essa pergunta não é ociosa. Casas que emburrecem tornam as pessoas chatas. Criam o tédio. Imagino que muitos conflitos conjugais e separações se devem ao fato de que a casa, finamente decorada, emburrece os moradores. Lá os objetos não podem ser tocados. Tudo tem que estar em ordem, um lugar para cada coisa, cada coisa em seu lugar. Orgulho da dona de casa, casa em ordem perfeita.

Acho que foi Jaspers que disse que não precisava viajar porque todas as coisas dignas de serem conhecidas estavam na sua casa. Jaspers viajava sem sair de casa. Mas há casas que são um tédio: lugar para dormir, tomar banho, comer, ver televisão. Se é isso que é a casa, então, depois de dormir, tomar banho, comer e ver televisão não há mais o que fazer na casa, e o remédio é sair de gaiola tão chata e ir para outros lugares onde coisas interessantes podem ser encontradas. Sugiro aos psicopedagogos que, ao lidarem com uma criança supostamente burrinha, investiguem a casa em que ela vive. O quarto mais fascinante do sobradão colonial do meu avô era o quarto do mistério, de entrada proibida, onde eram guardadas, numa desordem total, quinquilharias e inutilidades acumuladas durante um século. Ali a imaginação da gente corria solta. Já a sala de visitas, linda e decorada, era uma chatura. A criançada nunca ficava lá. Na sala de visitas a única coisa que me fascinava eram os vidros coloridos importados, lisos, através dos quais a luz do sol se filtrava.

Na minha experiência, a inteligência começa nas mãos. As crianças não se satisfazem com o ver: elas querem pegar, virar, manipular, desmontar, montar. Um amante se satisfaria com o ato de ver o corpo da amada? Por que, então, a inteligência iria se satisfazer com o ato de ver as coisas? A função dos olhos é mostrar, para as mãos, o caminho das coisas a serem mexidas.

Acho que uma casa deve estar cheia de objetos para serem mexidos. A casa, ela mesma, é para ser mexida. Razão por que eu prefiro as casas velhas. Tenho um amigo que comprou um lindo apartamento, novinho, e morre de tédio. Porque não há, no seu apartamento, nada para ser consertado. Eu sinto uma discreta felicidade quando alguma coisa quebra ou engüiça. Porque, então, eu posso brincar...

Os livros precisam estar ao alcance das mãos. Em todo lugar. Na sala, no banheiro, na cozinha, no quarto. Muito útil é uma pequena estante na frente da privada, com livros de leitura rápida. Livros de arte, por exemplo! É preciso que as crianças e os jovens aprendam que livros são mundos pelos quais se fazem excursões deliciosas. Claro! Para isso é preciso que haja guias! Cuidado com os brinquedos: brinquedo é um objeto que desafia a nossa habilidade com as mãos ou com as ideias. Esses brinquedos de só apertar um botão para uma coisa acontecer são objetos emburrecedores – aperta um botão, a boneca canta; aperta outro botão, a boneca faz xixi; aperta um botão, o carro corre. Não fazem pensar. No momento em que a menina resolver fazer uma cirurgia na boneca para ver como a mágica acontece – nesse momento ela estará ficando inteligente. Quebra-cabeças: objetos maravilhosos que desenvolvem uma enorme variedade de funções lógicas e estéticas ao mesmo tempo. Armar quebra-cabeças à noite: uma excelente forma de terapia familiar e pedagogia: o pai ensinando ao filho os truques. Ferramentas: com elas as crianças desenvolvem habilidades manuais, aprendem física e experimentam o prazer de consertar ou fazer coisas. A quantidade de conhecimento de física mecânica que existe numa caixa de ferramentas é incalculável. A cozinha aberta a todos. A cozinha é um maravilhoso laboratório de química. Cozinhar educa a sensibilidade.

Você nunca havia pensado nisso, na relação entre a sua casa e a inteligência, a sua inteligência e a inteligência dos seus filhos. Sua casa pode ser emburrecedora. Ou pode ser um espaço fascinante onde os camundongos do professor Tsien repentinamente ficam inteligentes...

Quando a dor se transforma em poema

Um deus fraco pode chorar comigo...
e por isso nos amamos...

Hoje, sexta-feira, 20 de setembro de 1996: minha vontade é não escrever.

Escrevo como sonâmbulo, na esperança, talvez, de que as palavras consigam diminuir a minha dor. Mas eu não quero que a dor diminua. Não quero ser curado. Não quero ser consolado. Não quero ficar alegre de novo. Quando a dor diminui é porque o esquecimento já fez o seu trabalho. Mas eu não quero esquecer. O amor não suporta o esquecimento.

Vazia das palavras que a dor roubou, a alma se volta para os poetas. Na verdade não é bem assim. A alma não se volta para nada. Ela está abraçada com sua dor. São os poetas que vêm em nosso auxílio, mesmo sem serem chamados. Pois essa é a vocação da poesia: pôr palavras nos lugares onde a dor é demais. Não para que ela termine, mas para que ela se transforme em coisa eterna: uma estrela no firmamento, brilhando sem cessar na noite escura. É isso que o amor deseja: eternizar a dor, transformando-a em coisa bela. Quando isso acontece, a dor se transforma em poema, objeto de comunhão, sacramento.

A dor é tanta que a procura das palavras – brinquedo puro quando se está alegre – se transforma num peso enorme, bola de ferro que se arrasta, pedra que se rola até o alto da montanha, sabendo ser inútil o esforço, pois ela rolará de novo morro abaixo. Sinto uma preguiça enorme, um desânimo sonolento de escrever. Arrasto-me. Obrigo-me a me arrastar. Empurro as palavras como quem empurra blocos de granito. Gostaria mesmo é de ficar quieto, não dizer nada, não escrever nada. Será que algum jornal aceitaria publicar uma crônica que fosse uma página em branco, silêncio puro? Escrevo para me calar, para produzir silêncio. Como numa catedral gótica: as paredes, as colunas e os vitrais servem só para criar um espaço vazio onde se pode orar. Álvaro de Campos entende que a poesia é isto, uma construção de palavras em cujas gretas se ouve uma outra voz, uma melodia que faz chorar.

Sei que minhas palavras são inúteis. A morte faz com que tudo seja inútil. Olho em volta as coisas que amo, os objetos que me davam alegria, o jardim, a fonte, os CDs, os quadros, o vinho (ah! o riso dele era uma cachoeira, quando abria uma garrafa de vinho!): está tudo cinzento, sem brilho, sem cor, sem gosto. Não abro o vinho: sei que ele virou vinagre. Rego as plantas por obrigação. O dever me empurra: elas precisam de mim. Agrado o meu cachorro por obrigação também. Ele não é culpado. Atendo o telefone e sou delicado com as pessoas que falam comigo: elas ainda não receberam a notícia nem receberão. Tentei dar a notícia a algumas pessoas. Disse-lhes que fazia seis horas que eu chorava sem parar. Elas riram. Não por maldade, mas por achar que eu estava brincando.

Meu melhor amigo morreu. Portanto, todas as palavras são inúteis. Sobre a cachoeira do seu riso está escrito "nunca mais".

Nenhuma delas será capaz de encher o vazio. Recordo as palavras da Cecília – palavras que, acredito, foram escritas muito depois da dor, depois que a dor já se havia transformado em beleza:

> (...) Mas tudo é inútil, porque os teus ouvidos estão como conchas vazias, e a tua narina imóvel não recebe mais notícia do mundo que circula no vento. (...) Mas tudo é inútil, porque estás encostada à terra fresca, e os teus olhos não buscam mais lugares nesta paisagem luminosa, e as tuas mãos não se arredondam já para a colheita nem para a carícia.

Meu melhor amigo. Amigo é uma pessoa que, só de se lembrar de você, dá uma risada de felicidade. Assim são os amigos – não há nem os mais nem os menos amigos. Ou é ou não é. Todos são iguais. Mas sei que meus outros amigos me entenderão, quando digo que o Elias Abrahão era o meu melhor amigo. Se a gente tem dez filhos e um morre, aquele era o que a gente mais amava. Se um pastor tem cem ovelhas e uma se perde, aquela era a de que ele mais gostava. O Elias morreu. Ele era o meu melhor amigo. Meu corpo e minha alma, hoje, são um vaso cheio com a dor do seu vazio.

O poeta W.H. Auden já disse, exato, o que estou sentindo:

> *Que parem os relógios, cale o telefone,*
> *jogue-se ao cão um osso e que não ladre mais,*
> *que emudeça o piano e o tambor sancione*
> *a vinda do caixão e seu cortejo atrás.*
> *Que os aviões, gemendo acima em alvoroço,*
> *escrevam contra o céu o anúncio: ele morreu.*
> *Que as pombas guardem luto – um laço no pescoço –*
> *e os guardas usem finas luvas cor de breu.*

Era meu norte, sul, meu leste, oeste, enquanto viveu;
meus dias úteis, meu fim de semana,
meu meio-dia, meia-noite, fala e canto,
quem julgue o amor eterno, como eu fiz, se engana.
É hora de apagar as estrelas – são molestas,
guardar a lua, desmontar o sol brilhante,
de despejar o mar, jogar fora as florestas,
pois nada mais há de dar certo doravante.

Em momentos assim tenho um dó imenso das pessoas que têm um deus forte. Pois – coitadas – estão perdidas diante da morte.

Ter um deus forte é saber que, se ele tivesse querido, ele teria evitado a morte. Se não evitou é porque não quis. Ora, se foi ele quem matou, ele não pode estar sofrendo. Está é feliz, por ter feito o que queria. Assim, ele é culpado da minha dor. Eu e ele estamos muito distantes, infinitamente distantes. Como poderia amá-lo – um deus assim tão cruel? Mas, se ele é um deus fraco, isso quer dizer que não foi ele quem ordenou – ele não pôde evitar. Um deus fraco pode chorar comigo. Ele até se desculpa: "Não foi possível evitá-lo. Eu bem que tentei. Veja só estas feridas no meu corpo: elas provam que me esforcei...". Ele chora comigo. Assim, nós dois, eu e o meu deus, choramos juntos. E por isso nos amamos.

Tenho no meu quintal uma árvore, sândalo, de perfume delicioso. Foi o Elias que me deu a mudinha, vinda do Líbano. Cuidarei dela com redobrado carinho. De vez em quando vou regá-la com vinho. Não me surpreenderei se ela ficar bêbada e começar a dar risadas. Saberei que o Elias está por perto.

As velas

O Natal está chegando. Fico com medo. Medo da loucura. Natal é o tempo em que as pessoas ficam perturbadas. Cantam *Noite de paz*. Mas seus corpos e almas estão em guerra, possuídos pela agitação e pela pressa. Quando o Deus-Menino nasce, o Diabo se põe a correr.

Valho-me das minhas velas para exorcizar a loucura. Por um ano inteiro eu as deixei esquecidas no escuro de um armário. Um sopro meu as fizera adormecer. E assim ficaram, como a Bela Adormecida, à espera da chama que as faria acordar. Parecem mortas. Mas sei que o toque do fogo as fará viver de novo. Aguardam a ressurreição. Como são humanas! Parecem-se conosco. Também os nossos corpos endurecidos podem arder de novo. Para isso basta que sejam tocados pela magia do fogo!

Preciso delas, das minhas velas. Suas chamas fiéis me tranquilizam. "Quer ficar calmo?", perguntava o velho Bachelard. "Respire suavemente diante da chama leve que faz sossegadamente seu trabalho de luz."

Tão diferentes das lâmpadas! Seria possível, por acaso, amar uma lâmpada? Que emoções mansas podem nascer de sua luz forte e indiferente? Quem as chamaria de minha lâmpada? Todas as lâmpadas são iguais. Ao morrerem queimadas, nenhuma tristeza provocam. Só o incômodo de terem de ser trocadas por outras.

As velas são diferentes. Choram enquanto iluminam. Suas lágrimas nascidas do fogo transbordam e escorrem pelo seu corpo. Choram por saber que, para brilhar, é preciso morrer. Não é possível contemplar uma vela no seu trabalho de luz sem sentir um pouco de tristeza. Sua chama modesta, modulada por indecisões e tremores, faz-me voltar sobre mim mesmo. Também sou assim. Minha chama vacila ao ser tocada pelo vento. Por isso posso chamá-la de minha vela. Somos feitos de uma mesma substância. Temos um destino comum.

As velas contam estórias diferentes. Cada uma tem um nome que é só seu. Uma delas, eu a coloquei no gargalo de uma garrafa de vinho vazia. Suas lágrimas coloridas escorreram pelo vidro e se endureceram. Não há lenço que as enxugue. Ficaram ali como lembranças de momentos passados que aconteceram à sua luz e à sua intimidade. Presenças de uma ausência, um tempo perdido cristalizado... Meu olhar atento passeia sobre as suas rugas. Noto que há cores diferentes. Aquela garrafa vazia já segurou muitas velas que se foram. Há lágrimas verdes, vermelhas e amarelas que se misturam e se recobrem num mesmo tecido de cera. Gerações que se consumiram no mesmo destino de brilhar mansamente. Procuro a vela que deveria estar ali para ser acordada. Percebo que ela não mais existe. Foi se consumindo, consumindo, até que seu último pedaço se derreteu. Não derramou nenhuma lágrima. Simplesmente caiu dentro da garrafa e desapareceu. Percebo o formato feminino da garrafa: é um útero, com sua abertura vaginal apontando o alto, como torre de uma catedral.

Pensei que talvez a vela me estivesse dizendo que morrer é como um nascer às avessas: voltar ao ventre materno. Fiquei comovido, porque, de fato, uma luz que luzia em momentos passados deixou de luzir. Mergulhou no vazio. Aquela vela não mais se acenderá. Resta apenas a memória dos seus momentos de luz. Penso no que deverei fazer. Deixarei a garrafa assim como está, com suas lágrimas coloridas, e o vazio? Ou colocarei ali uma outra vela? Não. A beleza daquela garrafa se deve justamente ao testemunho das sucessivas gerações que deixaram suas vidas gravadas no vidro. É preciso que a chama continue a brilhar. Quando uma vela se acaba, outra deve tomar o seu lugar.

Outra vela tem vergonha de chorar. Escondeu-se dentro de um copo metálico que não deixa transbordar as suas lágrimas. Chora silenciosamente, sem alarde. Impedidas de transbordar, as lágrimas se transformam num lago interior plano e luminoso de cera derretida, onde a chama se reflete. O choro tem este poder: pode tornar a luz ainda mais luminosa. A vela se recusa a abrir mão da sua dor: guarda as suas lágrimas, mantém-nas presas ao seu corpo, abraça-as, reconhece-as como parte de si mesma. Assim fazem os poetas... Sua luz é modesta: escondida pelo metal, furta-se ao olhar. Mas a sua carne de cera está cheia de um delicioso perfume de canela. Quando ela chora, o ar se enche de beleza. Penso que esta vela, talvez, tenha sido feita para os que não podem ver. Sua luz perfumada tranquiliza até mesmo aqueles que têm os seus olhos fechados.

Tomo nas mãos uma outra vela. É quase tão grossa como uma garrafa. Em sua cera ocre um artista gravou, em alto-relevo, folhas e flores. Mesmo apagada ela é bela. Mãos sensíveis que a toquem podem sentir os seus desenhos. A chama fraca foi derretendo o seu corpo, bebendo a sua carne. A chama brilha de dentro do vazio que o fogo abriu. A pele esculpida, longe demais do calor, sobreviveu intacta. Contemplada de longe, dá uma impressão de solidez e permanência. Mas basta que se acenda a chama para que se perceba a sua fragilidade. De tão gasta pelo fogo, a sua pele ficou translúcida e a luz se filtra através de sua carne efêmera. Que magnífica lição para os velhos: somente os corpos gastos pelo fogo do amor podem se tornar transparentes!

O amor prefere a luz das velas. Talvez porque seja isto tudo o que desejamos de uma pessoa amada: que ela seja uma luz suave que nos ajude a suportar o terror da noite. Sob a luz do amor que ilumina modesta e pacientemente, o escuro já não assusta tanto. É noite de paz!

Não deixe que as suas velas se apaguem! A escuridão é solitária e triste! Vamos! Toque-as novamente com a chama do amor!

Violinos velhos tocam música...

Jesus era sábio. Conhecia os segredos do coração humano. Psicanalista insuperável. Disse: "O homem bom tira coisas boas do seu tesouro. O homem mau tira coisas más do seu tesouro". Ou seja: a gente sempre encontra aquilo que está procurando. Isso se aplica à leitura que se faz das Sagradas Escrituras. Pessoas que estão cheias de medo, de sentimentos de vingança, de autoritarismo encontrarão na *Bíblia* ameaças, castigos, infernos, um Deus cruel e vingativo: parecido com elas. Cada Deus é um retrato de quem acredita nele. É possível fazer uma psicanálise de uma pessoa analisando os seus pensamentos e sentimentos religiosos. Aqueles, entretanto, que estão cheios de sentimentos ternos e que, portanto, não são movidos pelo medo ("O amor lança fora o medo", diz o apóstolo João) vão tirar daquele tesouro ideias de beleza, bondade e perdão. Seu Deus muito se parece com uma criança: não há vinganças, castigos ou inferno.

Digo isso a propósito do que as pessoas tiram das Escrituras Sagradas, quando pensam sobre o sexo. Veio-me à memória um texto, inspirado como todos os outros, no qual são descritos os últimos momentos do rei Davi. Esse incidente, relatado nos primeiros versos do livro de Reis, e sobre o qual nunca ouvi sermão, conta que, sendo Davi já velho, todos os cobertores sendo inúteis para aquecê-lo, seus servos tiveram uma ideia terapêutica: "Procure-se para o senhor nosso rei uma jovem virgem que assista o rei e cuide dele: ele dormirá sobre o seu seio e o senhor nosso rei se aquecerá". Assim se fez. Mas foi inútil. Foi inútil que o rei dormisse ao lado da mais bela jovem do reino. Seu corpo, outrora corpo de homem viril – lembram-se de Betsebá? –, permaneceu inerte. As esperanças de que ele fosse trazido de novo à vida pelas delícias do corpo de uma mulher não se realizaram. Ele não fez amor com ela. Que decepção! E morreu. O que esse texto sagrado diz é que havia a convicção, partilhada por todos, de que o amor sexual tem o poder de realizar o milagre de curar o corpo. O sexo aquece a vida fria. Sexo é remédio. Sexo é alegria. (Os que só tiram coisas más do tesouro concluíram, ao contrário, que sexo é veneno...)

Um dos meus textos favoritos se chama *Desiderata*. *Desiderata* quer dizer "conjunto de coisas que se desejam". Pois lá está dito, como um desejo: "Aceite com elegância o conselho dos anos, deixando graciosamente para trás os prazeres da juventude". O sentido não está explícito. O que eu tirei foi o seguinte: sendo os prazeres sexuais prazeres que o senso comum toma como prazeres da juventude, é preciso que os velhos aceitem com elegância as limitações da velhice, para não se tornarem ridículos: na velhice os prazeres do sexo vão também envelhecendo. Que ridículo Davi, indiferente, nos braços de uma linda jovem...

De fato, os prazeres da velhice não são iguais aos prazeres da juventude. Escrevi uma crônica sobre um casal de velhos que havia esperado mais de 50 anos para se casar. Morta a mulher do homem, morto o marido da mulher, os viúvos se encontraram para viver, no pouco tempo que lhes restava, o amor que ficara estrangulado. O velho, 80 anos, ressuscitou. A primeira mulher odiava violino. Ele amava violino. Resultado: para evitar ruídos vocais, ele deixou seu violino sobre o guarda-roupa, por mais de 50 anos. Largado, as cordas do violino arrebentaram e arrebentadas ficaram... Ah! Que triste metáfora para a alma daquele homem, violino impedido de fazer música...

Tomado pelo novo-velhíssimo amor, as cordas da alma se afinaram, o violinista ressuscitou do ataúde em que se encontrava preso, e tratou de reformar o violino que estava em cima do guarda-roupa. (Por vezes um violino é mais potente, sexualmente, que o corpo de uma donzela...) E o violino velho, esquecido dos prazeres da juventude, começou a tocar de novo. Essa metáfora me faz rir de alegria. Será isso? O corpo será um violino e a alma será uma música? Há, nos anais da psicanálise, o relato de uma pessoa que sonhava tocar violino em público – e o sentido do sonho era "masturbar-se em público". Estou meio esquecido. Se não foi bem assim, peço que meus colegas me corrijam, para benefício dos leitores. O que nos interessa é essa deliciosa relação metafórica entre o instrumento musical e os instrumentos sexuais. Afinal de contas, fazer amor é sempre tocar um dueto. É preciso que os dois toquem para que o dueto soe como deve. E o amor foi enorme, no curto espaço em que durou. O violino não aguentou a intensidade da sonata: despedaçou-se antes que ela chegasse ao fim. O velhinho morreu aos 81 anos. Escrevi uma crônica sobre o acontecido. Pois, algum tempo depois, recebo um telefonema de uma mulher desconhecida. Era ela! Por 40 minutos me relatou com detalhes a alegria do amor que ela e o seu amado haviam vivido. E, ao término da conversa, me disse esta coisa linda que, toda vez que conto, choro de emoção: "Pois é, professor. Na idade da gente não se mexe muito [por favor, observe o *muito*!] com as coisas do sexo. A gente vivia de ternura!".

De fato, o sexo na velhice é muito diferente do sexo na adolescência. O adolescente, no seu estado normal, é um drogado. Não me entendam mal. Não estou dizendo que eles cheiram cocaína. Estou dizendo que eles são, repentinamente, invadidos por um vulcão de hormônios que não conheciam, demônios incontroláveis que deles se apossam, alojando-se preferencialmente em certas partes do corpo que se põem a mover dolorosamente, independentemente da sua vontade. Agostinho, no seu livro *De Civitate Dei*, já havia observado essa autonomia dos órgãos sexuais, que se movem sem permissão da razão, criando situações embaraçosíssimas, razão por que o Criador, compadecido da vergonha do homem, providenciou aventais que escondessem os seus genitais descontrolados. Vira um inferno. Não sei sobre as mulheres. Sei que, para os homens, o desejo sexual na adolescência é um sofrimento. Não dá sossego. O curioso é que ele irrompe gratuitamente, sem necessitar de nenhuma provocação. Não é preciso que o adolescente veja mulheres nuas, filmes pornôs ou simplesmente tenha pensamentos libidinosos. O desejo sexual, na adolescência, independe de um objeto. É um desejo puro, bruto, irracional. Para quem não entende o que estou dizendo, vou me valer de uma comparação: parece-se, em tudo, com o desejo de fazer xixi. A bexiga vai inchando, inchando, começa a doer, a dor vai crescendo, torna-se insuportável. Não há alternativa: é preciso esvaziar a bexiga. E aí é aquele prazer, aquela felicidade... O ato de fazer xixi, quando a bexiga está cheia, em tudo é comparável ao tesão e ao orgasmo, na adolescência. Creio, inclusive, que a análise que Freud faz do prazer sexual toma o ato de fazer xixi como modelo: o objetivo do prazer não é o prazer; é livrar-se da dor, voltar ao equilíbrio, à experiência budista de não desejar nada: nirvana...

Isso passa. Esse estado de perturbação hormonal é de curta duração. É como um cavalo selvagem, sem controle, desembestado, arrebentando cerca, pulando ribeirão, atolando-se em charco... Depois o cavalo selvagem, poder puro, explosão atômica, destruição, vai ganhando forma. Da Vinci achava que os cavalos eram os animais mais belos, depois dos seres humanos... O poder selvagem ganha forma, descobre os limites. Poder bruto é feio. Como disse Nietzsche: "Quando o poder se torna gracioso, então a beleza acontece". Surge então o sexo sob uma outra forma: a ternura. Aí os ditos órgãos descontrolados deixam de se movimentar por conta própria. Só se movimentam quando comovidos pela ternura da beleza... Sem a ternura da beleza eles ficam inertes. Os tolos acham que é impotência. Ou frigidez. É nada.

Abelardo e Heloísa

É um túmulo de mármore branco, no cemitério Père-La-Chaise, em Paris. Sob a proteção de um dossel rendilhado, também de mármore, eles se encontram em sua forma definitiva, modelados pela memória, pela noite, pelo desejo.

Deitados um ao lado do outro, em vestes mortuárias, sem se tocarem, rostos voltados para os céus, mãos cruzadas sobre o peito, sem desejo: assim um escultor os esculpiu, obediente à forma como a tradição religiosa imobilizou os mortos. Mas, se a escolha fosse deles, a escultura seria outra: *O beijo*, de Rodin, seus corpos nus abraçados. E as palavras gravadas seriam as de Drummond: "O Amor é primo da morte, e da morte vencedor, por mais que o matem (e matam) a cada instante de amor".

Assim é o túmulo de Abelardo e Heloísa: amaram de forma apaixonada e impossível, irremediavelmente separados um do outro pela vida, na esperança de que a morte os ajuntasse, eternamente.

O amor feliz não vira literatura ou arte. *Romeu e Julieta, Tristão e Isolda, As pontes de Madison, Love story* – o amor comovente é o amor ferido. Diz Octavio Paz que "coisas e palavras sangram pela mesma ferida". Mas o amor feliz não é ferida. Como poderiam, então, dele sangrar palavras? O amor feliz não é para ser cantado. É para ser gozado. O amor feliz não fala; ele faz. Se escrevo sobre Abelardo e Heloísa é porque sua história é uma ferida na minha própria carne. Heloísa tinha 17 anos. Abelardo, 38. Vinte e um anos os separavam. O amor ignora os abismos do tempo.

Abelardo (1079-1142) era apelidado de "pássaro errante". Intelectual fulgurante, figura central das discussões filosóficas em Paris, motivo de invejas, ódios e paixões. Assim Heloísa o descreve, numa carta para ele mesmo:

> Que reis, que filósofos tiveram renome igual ao teu? Que país, que cidade, que aldeia não se mostrava impaciente em te ver? Aparecias em público? Todos se precipitavam para te ver. Partias? Todos te procuravam seguir com seus olhos ávidos. Que esposa, virgem, não se terá abrasado por ti em tua ausência e incendiado em tua presença? Possuías, sobretudo, duas qualidades capazes de conquistar todas as mulheres: o encanto das palavras e a beleza da voz. Não creio que outro filósofo as tenha possuído em tão alto grau.

Heloísa, jovem adolescente dotada de raras qualidades intelectuais, vivia em Paris, na casa de seu tio. Este, desejoso de lhe dar a melhor educação, contratou Abelardo como seu tutor intelectual. Mas as lições de filosofia duraram pouco. Logo os dois estavam perdidamente apaixonados. E Abelardo, filósofo de rigor lógico incomparável, transformou-se em poeta. Heloísa tomou conta do seu pensamento e do seu corpo e, a partir de então, segundo ele mesmo confessa, nele só se encontravam "versos de amor e nada dos segredos da filosofia".

O tio, ao descobrir o que acontecia em sua casa, sentiu-se enganado e se enfureceu. Interrompeu as "lições" e proibiu que eles se vissem de novo. Inutilmente. A distância não apaga, ela acende o amor. E o próprio Abelardo comenta: "A separação dos corpos levou ao máximo a união dos nossos corações e, porque não era satisfeita, nossa paixão se inflamou cada vez mais".

Mas Heloísa ficou grávida. Abelardo resolveu raptá-la e levá-la para um lugar distante. De noite, retira-a da casa do tio e a leva para a casa da irmã dele, em Palet, distante 400 quilômetros de Paris. É lá que nasce o filho do seu amor. Casam-se secretamente no dia 30 de julho daquele ano.

Mas, para o tio de Heloísa, o acontecido exigia vingança. Planeja, então, a pior de todas as vinganças possíveis. Contrata um bando de marginais que invadem a casa de Abelardo e o castram. Pensava ele que, assim, colocaria um fim àquele amor. Inutilmente. Continuaram a se amar pelo resto de suas vidas com o poder da memória e da saudade – até que a morte os unisse eternamente. Como no filme *As pontes de Madison*. Só que, no filme, o instrumento da castração não foi o ódio de alguém, mas o amor piedoso por alguém.

Abelardo morreu aos 63 anos, em 1142. Heloísa, ao saber disso, exige para si a posse de "seu homem". Na verdade, era isso que Abelardo havia-lhe pedido. "Quando eu morrer", ele lhe escreveu, "peço-te que procures transportar o meu corpo para o cemitério da tua abadia...". E Heloísa ordenou que, uma vez morta, seu corpo fosse enterrado no túmulo de seu marido. O que aconteceu 21 anos depois.

Conta-se que, ao ser levada para o túmulo, quando o caixão de Abelardo foi aberto, ele abriu os seus braços e a abraçou. Dizem outros, ao contrário, que foi Heloísa que abriu os seus, para abraçá-lo. É possível. Talvez o amor de Heloísa tenha sido mais puro e mais intenso. Abelardo conhecera o amor de muitas e o amor à filosofia. Heloísa, ao contrário, conheceu apenas o amor por Abelardo. Diz um de seus biógrafos: "Para Heloísa, não há senão dois acontecimentos em sua vida: o dia em que soube que era amada por Abelardo e o dia em que o perdeu. Tudo o mais desaparece a seus olhos numa noite profunda". Ainda hoje, decorridos quase 900 anos, os namorados visitam aquele túmulo. Talvez para suplicar a Deus que eles estejam abraçados eternamente, como em *O beijo*, de Rodin. Talvez para pedir que nos seja dada a felicidade de viver um amor como aquele, mas sem ter de viver a sua dor. O amor feliz, sem literatura, sem fama, sem que ninguém conheça. Basta-nos a felicidade aliterária do "amor feinho", como a Adélia Prado o batizou carinhosamente. Estou certo de que era isso que Abelardo e Heloísa teriam desejado.

O acorde final

Eu havia colocado no toca-discos aquele disco com poemas do Vinícius e do Drummond, disco antigo, *long-play* – o perigo são os riscos que fazem a agulha saltar, mas felizmente até ali tudo tinha estado lindo e bonito, sem pulos e sem chiados, o próprio Vinícius, na sua voz rouca de uísque e fumo, havia recitado os sonetos da separação, da despedida, do amor total, dos olhos da amada. Chegara meu favorito, "O haver" – o Vinícius percebia que a noite estava chegando e tratava então de fazer um balanço de tudo o que fora feito e do que sobrara disso. Assim, as estrofes começam todas com uma mesma palavra, "Resta..." – foi isso que sobrou.

> *Resta, acima de tudo, essa capacidade de ternura, essa intimidade perfeita com o silêncio (...)*
> *Resta essa vontade de chorar diante da beleza, essa cólera cega em face da injustiça e do mal-entendido (...)*
> *Resta essa faculdade incoercível de sonhar (...) e essa pequenina luz indecifrável a que às vezes os poetas dão o nome de esperança (...)*

Começava, naquele momento, a última quadra, e de tantas vezes lê-la e outras tantas ouvi-la, eu já sabia de cor suas palavras, e as ia repetindo dentro de mim, antecipando a última, que seria o fim, sabendo que tudo o que é belo precisa terminar.

O pôr do sol é belo porque suas cores são efêmeras, em poucos minutos não mais existirão.

A sonata é bela porque sua vida é curta, não dura mais que 20 minutos. Se a sonata fosse uma música sem fim, é certo que seu lugar seria entre os instrumentos de tortura do Diabo, no inferno.

Até o beijo... Que amante suportaria um beijo que não terminasse nunca?

O poema também tinha de morrer para que fosse perfeito, para que fosse belo e para que eu tivesse saudades dele, depois do seu fim. Tudo o que fica perfeito pede para morrer. Depois da morte do poema viria o silêncio – o vazio. Nasceria então uma outra coisa em seu lugar: a saudade. A saudade só floresce na ausência.

É na saudade que nascem os deuses – eles existem para que o amado que se perdeu possa retornar. Que a vida seja como o disco, que pode ser tocado quantas vezes se desejar. Os deuses – nenhum amor tenho por eles, em si mesmos. Eu os amo só por isso, pelo seu poder de trazer de volta para que o abraço se repita. Divinos não são os deuses. Divino é o reencontro.

A voz do Vinícius já anunciava o fim. Ele passou a falar mais baixo.

Resta esse diálogo cotidiano com a morte,
esse fascínio pelo momento a vir, quando, emocionada,
ela virá me abrir a porta como uma velha amante (...)

E eu, na minha cabeça, automaticamente me adiantei, recitando em silêncio o último verso: "... sem saber que é a minha mais nova namorada".

Foi então que, no último momento, o imprevisto aconteceu: a agulha pulou para trás – talvez tivesse achado o poema tão bonito que se recusava a ser uma cúmplice de seu fim, não aceitava sua morte, e ali ficou a voz morta do Vinícius repetindo palavras sem sentido: "... sem saber que é a minha mais nova...", "... sem saber que é a minha mais nova...", "... sem saber que é a minha mais nova...".

Levantei-me do meu lugar, fui até o toca-discos e consumei o assassinato: empurrei suavemente o braço com o meu dedo e ajudei a beleza a morrer, ajudei-a a ficar perfeita. Ela me agradeceu, disse o que precisava dizer: "... sem saber que é a minha mais nova namorada...". Depois disso foi o silêncio.

Fiquei pensando se aquilo não era uma parábola para a vida, a vida como uma obra de arte, sonata, poema, dança. Já no primeiro momento, quando o compositor ou o poeta ou o dançarino preparam sua obra, o último momento já está em gestação. É bem possível que o último verso do poema tenha sido o primeiro a ser escrito pelo Vinícius. A vida é tecida como a teia de aranha: começa sempre do fim. Quando a vida começa do fim, ela é sempre bela, por ser colorida com as cores do crepúsculo.

Não, eu não acredito que a vida biológica deva ser preservada a qualquer preço.

"Para todas as coisas há o momento certo. Existe o tempo de nascer e o tempo de morrer" (Eclesiastes 3.1-2).

A vida não é uma coisa biológica. A vida é uma entidade estética. Morta a possibilidade de sentir alegria diante do belo, morre também a vida, tal como Deus no-la deu – ainda que a parafernália dos médicos continue a emitir seus *bips* e a produzir zigue-zagues no vídeo.

A vida é como aquela peça. É preciso terminar.

A morte é o último acorde que diz: está completo. Tudo o que se completa deseja morrer.

O batizado

Sérgio, meu filho, me fez um pedido estranho. Pediu-me que preparasse um ritual para o batismo da Mariana, minha neta. Eu lhe disse que, para se fazer tal ritual, é preciso acreditar. Eu não acredito. Já faz muitos anos que as palavras dos sacerdotes e pastores se esvaziaram para mim, muito embora eu continue fascinado pela beleza dos símbolos cristãos, desde que sejam contemplados em silêncio.

Ele não desistiu e argumentou: "Mas você fez o meu casamento...". De fato. Lembro-me de como ele "encomendou" o ritual: "Pai, não fale as palavras da religião! Fale só as palavras da poesia!". E assim foi. Foram textos do "Cântico dos cânticos", poema erótico da *Bíblia*, que deixa ruborizadas as faces dos beatos e beatas: "Teus dois seios são como dois filhos gêmeos de gazela! (...) Teus lábios gotejam doçura, como um favo de mel, e debaixo da tua língua se encontram néctar e leite...". Divirto-me pensando na cara que fariam Papa e bispos se lessem esses textos... Seguiram-se textos do Drummond, do Vinícius, da Adélia — tudo terminando não com a chatíssima "Marcha nupcial", mas com a "Valsinha", do Chico, ocasião em que os convidados, moços e velhos, pegaram os seus pares e trataram de dançar. Foi bonito. Quando a coisa é bonita, a gente acredita fácil.

Lembrei-me, então, de um trecho do livro *Raízes negras* — onde se descreve o ritual de "dar nome" ao recém-nascido, numa tribo africana.

> Omoro, o pai, moveu-se para o lado de sua esposa, diante das pessoas da aldeia reunidas. Levantou então a criança e, enquanto todos olhavam, segredou três vezes nos ouvidos do seu filho o nome que ele havia escolhido para ele. Era a primeira vez que aquele nome estava sendo pronunciado como nome daquele nenezinho. Todos sabiam que cada ser humano deve ser o primeiro a saber quem ele é. Tocaram os tambores. Omoro segredou o mesmo nome no ouvido de sua esposa, que sorriu de prazer. A seguir foi a vez da aldeia inteira: "O nome do primeiro filho de Omoro e Binta Kinte é Kunta!". Ao final do ritual, após desenvolvidas todas as suas partes, Omoro, sozinho, carregou seu filho até os limites da aldeia e ali levantou o nenezinho para os céus e disse suavemente: *"Fend kiling dorong leh warrata ke iteh tee"* (Eis aí a única coisa que é maior que você mesmo!).

Essa memória me convenceu e tratei de inventar um ritual de "dar nome", já que nenhum eu conhecia que me agradasse.

Organizei o espaço da sala de estar. Empurrei a mesa central, baixa, na direção da lareira. À cabeceira coloquei um banquinho velhíssimo — ali a Mariana se assentaria. Ao lado, duas cadeiras, uma para o pai, outra para a mãe. Na ponta da mesa, uma grande vela. É a vela da Mariana, vela que a acompanhará por toda a sua vida e que deverá ser acesa em todos os seus aniversários. Ao lado da sua vela, duas velas longas, coloridas. E, espalhadas pela sala, velas de todos os tipos e cores. Na ponta da mesa, ao lado da vela da Mariana, um prato de madeira com um cacho de uvas.

Reunidos todos os convidados, começou o ritual. Foi isso que eu disse: "Mariana: aqui estamos para contar para você a estória do seu nome. Tudo começou numa grande escuridão". As luzes se apagaram enquanto, no escuro, se ouvia o som da flauta de Jean-Pierre Rampal.

"Assim era a barriga da sua mãe, lugar escuro, tranquilo e silencioso. Ali você viveu por nove meses. Passado esse tempo, você se cansou e disse: 'Quero ver luz!'. Sua mãe ouviu o seu pedido e fez o que você queria. Ela 'deu à luz'. Você nasceu."

A mãe e o pai da Mariana acenderam então a vela grande, que brilhou sozinha no meio da sala.

"Veja só o que aconteceu! Sua luz encheu a sala de alegria. Todos os rostos estão sorrindo para você. E, por causa desta alegria, cada um deles vai, também, acender a sua vela."

Aí o padrinho e a madrinha acenderam as velas longas coloridas, e os outros todos acenderam, cada um, uma das velas espalhadas pela sala.

À chegada dos convidados, eu havia dado a cada um deles um cartãozinho, onde deveriam escrever o desejo mais profundo para a Mariana. Continuei:

"Você trouxe tanta alegria que cada um de nós escreveu, num cartãozinho, um bom desejo para você. Assim, pegue esta cestinha. Vá de um em um recolhendo os bons desejos que eles escreveram. Esses cartõezinhos, você os vai guardar por toda a sua vida...".

E lá foi a Mariana com a cestinha, seus grandes olhos azuis, de um em um, sendo abençoada por todos.

"Todos deram para você uma coisa boa", eu disse depois de terminado o recolhimento dos cartões. "Agora é a hora de você dar a todos uma coisa boa. Você é redondinha e doce como uma uva. Essa é a razão para este cacho de uvas. E é isso que você vai fazer. Seus padrinhos vão fazer uma cadeirinha e você, assentada na cadeirinha, vai dar a cada um deles um pedaço de você, uma uva doce e redonda..."

E assim, vagarosamente, a Mariana celebrou, sem saber, esta insólita eucaristia: "Esta uva doce e redonda é o meu corpo...".

Terminada a eucaristia, eu disse a Mariana:

"Agora, chegando ao fim, cada um de nós vai dizer o seu nome. Preste bem atenção. O nome é um só. Mas cada um vai dizê-lo com uma música diferente. Porque são muitas e diferentes as formas como você é amada."

E assim, iluminados pela luz das velas, cada um dos presentes, olhando bem dentro dos olhos da menina, ia dizendo: "Mariana", "Mariana", "Mariana", "Mariana"...

Aqueles que olhavam os olhos da Mariana puderam ver que, à medida que ela ouvia o seu nome sendo repetido, eles iam se enchendo de lágrimas...

A lagoa

Quero convidar você a ir comigo numa excursão. Eu serei o guia. Uma excursão é, antes de mais nada, uma experiência com os sentidos: ver cenários desconhecidos, ouvir sons incomuns, sentir perfumes novos, experimentar comidas estranhas, deixar que a pele sinta o sol, o frio, o vento. Não se vai a uma excursão para pensar. Não se trata de concordar ou discordar. Trata-se, simplesmente, de experimentar com o corpo. Antes de partirem para uma excursão, todos deveriam ler, como devoção diária, os poemas de Alberto Caeiro: "O mundo não foi feito para ser pensado, mas para ser visto e para se estar de acordo".

Quero levar você a passear pelo meu mundo, com o auxílio da psicanálise. Mas, para isso, é preciso desaprender e esquecer aquilo que você sabe a respeito dela. Perder a memória. A memória não deixa ver direito. A memória perturba os olhos.

Quero que você se esqueça de que psicanálise é terapia. Quero que você se esqueça das palavras que normalmente se usam quando a conversa sobre psicanálise aparece: identificação, transferência, repressão sexual, ego, *id*, superego, psicanalistas, divãs, honorários. A psicanálise não começa com essas palavras. A psicanálise é, antes de mais nada, um jeito de ver o corpo. E o mais fascinante: ela acredita que dentro do corpo haja um universo mais fantástico, mais incrível, mais maravilhoso, mais terrível, mais misterioso que o universo que existe do lado de fora. A ficção científica nos leva em viagens até os confins do universo. A psicanálise deseja fazer algo parecido: levar-nos a viajar pelos confins da alma. A alma é maior que o universo astronômico. A psicanálise é um roteiro de viagem.

São muitos os olhos que veem o corpo. E cada olho o vê de maneira diferente.

A medicina, por exemplo, tem muitos olhos. São tantos, que o certo seria falar em *medicinas*, no plural. Os olhos dos cirurgiões não veem o corpo da forma como os clínicos gerais o veem. Se você for a um homeopata, ele lhe fará perguntas que um clínico jamais faria. A medicina chinesa, por sua vez, vê tudo de outro jeito. Quando você opta por um tipo de médico e recusa os outros é porque você não quer que seu corpo seja visto com os olhos daqueles que você rejeitou. Que curioso: na escolha de um médico está presente uma filosofia!

As religiões também, todas elas, são maneiras diferentes de ver o corpo. As religiões cristãs veem o corpo com os olhos da culpa. O corpo, no mundo cristão, encontra-se sempre sob a observação do Grande Olho que nada deixa escapar. Já no taoísmo, não há nenhum Grande Olho. O taoísmo não sabe o que é culpa. Para o taoísmo, o corpo é um pequeno barco que vai navegando, levado pelas correntes de um grande rio. Para o cristianismo, o corpo não é digno de confiança. Precisa ser reprimido. Para o taoísmo, o corpo é sábio e precisa ser ouvido. Em um, corpo devedor, títulos sob protesto. No outro, corpo navegador, sem contas a pagar.

Que coisa mais estranha! É certo que existe um mundo sólido, material, físico. Mas nós nunca o vemos. O que vemos são os mundos que moram dentro dos nossos olhos. Duvida? Pergunte a Kant.

A psicanálise é um olho com o qual se vê um mundo – diferente de todos os demais. Não foi a psicanálise que descobriu esse mundo. Ele já tinha sido visto por místicos, poetas e artistas desde tempos imemoriais. Eles viram e o tornaram sensível por meio da pintura, da escultura, da música, dos poemas, das canções, das catedrais, da culinária, das obras literárias. O gênio da psicanálise está em que ela descobriu que as obras de arte são mais que obras de arte: são entradas para o mundo da alma. Um sonho: protótipo de todas as obras de arte!

Existe uma enorme diferença entre a experiência da arte, de um lado, que é essencialmente emocional, e a crítica da arte, de outro, que é essencialmente racional. Ler no jornal de hoje a crítica do concerto de ontem de forma alguma me comunica a emoção que se teve ao ouvir o concerto ontem. Ler a crítica da exposição das obras de Dalí não me comunica a emoção que foi possível ter estando diante dos seus quadros. Além da pura experiência estética, há a experiência de pensar: o corpo de Dalí esteve na mesma posição em que está o meu corpo, agora, diante do seu quadro... A experiência com o belo é uma experiência de possessão. A beleza faz-se uma com o corpo, o corpo "vira" obra de arte. Mas a experiência com a crítica só mexe com a cabeça. Não é emoção. É pensamento.

A psicanálise vê o corpo como uma obra de arte. Uma obra de arte encarnada. Parodiando o evangelho, que diz "o Verbo se fez Carne", eu digo "o Belo se fez Corpo"... Mas sua relação com esse Belo encarnado é a mesma relação que existe entre a crítica racional e a experiência emocional. A psicanálise, como teoria, é um exercício racional que investiga as "razões", o sentido humano que se encontra nas raízes dessa obra de arte encarnada. Mas as emoções estão em outro lugar.

Eu só sei pensar por meio de metáforas. Metáfora é uma imagem que não é a coisa, mas que me ajuda a ver a coisa. Dizia o carteiro a Neruda: "Sou um barco batido pelas ondas". Claro, ele não era, literalmente, um barco. Mas quem ouvisse suas palavras entenderia perfeitamente o que ele estava dizendo. Assim, aqui vai minha primeira metáfora para o mundo pelo qual vamos viajar. Você sabe mergulhar? Trate de aprender...

À nossa frente, a lagoa imensa. Nem uma brisa encrespa sua superfície lisa. Nela aparecem refletidas, invertidas, as coisas do mundo de fora: chorões com seus longos galhos, altos pinheiros, os papiros com suas cabeleiras despenteadas, as nuvens brancas navegando o azul do céu, as garças em seus voos harmoniosos. Lagoa, espelho, onde tudo cabe. Vez por outra um peixe salta inesperadamente, para logo desaparecer, deixando ondas que se espalham em círculo pela superfície do lago. Um súbito encrespar da superfície anuncia a passagem de um cardume invisível. Por vezes, uma simples barbatana corta a água, revelando a presença de um grande peixe. E, perto das margens, bolhas estouram na superfície, vindas das funduras escuras. Assim é o lago, visto de fora. Mas se o observador for curioso e não tiver medo, ele poderá mergulhar. E seus olhos verão então um outro mundo que da superfície não se podia ver: mansos peixes coloridos, plantas aquáticas, traíras e piranhas vorazes, barcos apodrecidos, restos de naufrágios, e todo tipo de formas que do lado de fora não podiam ser vistas. Um mesmo lago: de fora uma coisa; nas funduras outra.

Os místicos, poetas e artistas desde muito sabem que o corpo é um lago: na superfície lisa está espelhado o mundo de fora. Mas basta atravessar o espelho com um mergulho (não se assuste com essa imagem de atravessar o espelho. A Alice, do livro de Lewis Carroll, fez isso, e o espelho não se quebrou. Derreteu. Dê-se o prazer de ler *Alice no País das Maravilhas* e *Através do espelho*. Carroll era um guia maravilhoso no mundo da psicanálise, antes mesmo que ela existisse. Não se engane. Não são livros para crianças...) para chegar a um mundo que existe no avesso do corpo, que do lado de fora não se vê, estranho, totalmente diferente. Escher colocou esses dois mundos num desenho genial a que ele deu o nome *Ar e água*. Note os gansos voando. Eles são negros contra um fundo branco. Observe o que acontece nos intervalos, à medida que os olhos vão descendo. Começam a se delinear formas de peixes. Até que, mergulhando na água – o fundo é negro –, aparecem os peixes, enquanto os gansos vão desaparecendo nos intervalos. Está aqui representado, num simples desenho, o estranho mundo que os místicos e artistas viram e que a psicanálise tenta compreender. Nós mesmos: seres alados que voam no mundo luminoso, seres subaquáticos que nadam num mundo misterioso...

"Estou ficando louca..."

Ela chegou e depois de uma breve indecisão disse: "Acho que estou ficando louca...".

Fiquei em silêncio, como o caçador que espera o voo da caça, pois esta é a minha profissão: sou um caçador de palavras.

Era certo que alguma mudança surpreendente ocorrera com os seus pensamentos. Acostumada com as palavras domesticadas e de voo curto que diariamente se moviam no seu mundo interior, ela deveria ter se assustado com o súbito surgimento de uma outra entidade de cuja existência jamais suspeitara, escondida que estivera ao abrigo da densa vegetação que marca o início da obscuridade da alma. Recebera a visita de um emissário do inconsciente: pensamentos que nunca tivera, incomuns, desconhecidos... Ela ignorava sua origem e nada sabia do seu destino. Descobria-se subitamente sem terra sólida sob seus pés, flutuando sobre o mistério. Era isso que me dizia com sua curta declaração: "Acho que estou ficando louca...".

Mas eu nada sabia nem da cor, nem da forma, nem dos movimentos dessa ave misteriosa que a assustava. Por isso fiquei quieto, à espera... Confesso que senti um calafrio de prazer. Aves engaioladas são sempre banais e podem ser compradas em qualquer lugar. Não lhes dedico qualquer atenção, pois delas os jornais e a tagarelice cotidiana estão cheios. Mas estas aves selvagens que se anunciam com o nome de *loucura* nascem do desconhecido e levam-nos a voar por mundos onde nunca estivemos.

Aí ela continuou, explicando o que acontecera: "Eu sou uma pessoa prática, descomplicada. Gosto de cozinhar. E o faço de forma competente, automática, sem pensar. Corto as cebolas, as cebolinhas, os tomates, e vou fazendo as coisas que devem ser feitas da forma como sempre fiz. Essas coisas e esses atos nunca foram merecedores de minha atenção. Enquanto cozinho, meus pensamentos se concentram no prato terminado e no prazer de comer com os amigos.

Mas, na semana passada, uma coisa estranha aconteceu. Peguei uma cebola, igual a todas as outras, cortei uma rodela como sempre fiz, e levei um susto. Percebi que nunca havia visto uma cebola. Como era isso possível? Já havia visto e cortado centenas de cebolas e agora era como se estivesse vendo a cebola pela primeira vez! Olhei para sua forma arredondada, senti a lisura de sua pele sob os meus dedos, vi seus anéis circulares, perfeitos, encaixados uns dentro dos outros, surpreendi-me com sua quase transparência, a luz se fragmentando em centenas de pontos em sua superfície brilhante. Meu automatismo prático se interrompeu. Deixei a faca sobre a pia e fiquei com a rodela de cebola na minha mão, encantada. Esqueci-me do prato que estava preparando. Naquele momento eu não queria fazer prato algum para o deleite da boca, pois havia encontrado uma outra forma de deleite: o deleite dos olhos. Meus olhos estavam comendo a rodela de cebola. E eu senti um prazer que nunca sentira antes.

Pela primeira vez na vida vi que a cebola era bonita. Se fosse pintora, pintaria uma cebola. Se fosse fotógrafa, fotografaria uma cebola... Minha cebola deixara de ser uma criatura do sacolão, à mercê de facas e maxilares mastigantes, e aparecia como criatura encantada, moradora do mundo da beleza, ao lado de joias e de obras de arte.

Ao acordar desse transe místico, em que vi a rodela de cebola como se fosse vitral de uma catedral gótica, fiquei assustada. Que coisa estranha deveria estar acontecendo com os meus olhos? Que transformação incomum deveria ter acontecido comigo mesma?

Se eu contasse aos meus amigos o que tinha acontecido, eles não entenderiam. Pensariam que eu estava fazendo gozação. Ririam. Não poderiam compreender a minha alegria vendo a rodela de cebola. Eu tive de fazer silêncio sobre a minha experiência. Pensei, então, que estava ficando louca. Pois loucura deve ser isto: aquilo que a gente experimenta e sobre o que tem de se calar. Pois se a gente disser, os outros não entenderão e começarão a pensar que a gente tem um parafuso solto.

Mas o pior é que o que aconteceu com a cebola começou a acontecer com tudo. Meus olhos já não eram os mesmos. Estavam possuídos por uma potência psicodélica. Viam o que sempre tinham visto de um jeito como nunca tinham visto. Meus quadros ficaram diferentes. Meus objetos ficaram diferentes. Minhas plantas ficaram diferentes. E o mais perturbador era a felicidade boba que eu sentia em tudo. E eu pensei: se eu continuar a me sentir feliz assim, todos os meus grandes planos irão por terra! Se eu me sentir feliz nas pequenas coisas, pararei de lutar para realizar as grandes coisas...".

Ela estava assustada com a felicidade. Assustada ao perceber que a alegria mora muito perto. Basta saber ver. E eu lhe disse: "Você não está ficando louca. Você está ficando poeta...".

A experiência poética não é ver coisas grandiosas que ninguém mais vê. É ver o absolutamente banal, que está bem diante do nariz, sob uma luz diferente. Quando isso acontece, cada objeto cotidiano se transforma na entrada de um mundo encantado. E a gente se põe a viajar sem sair do lugar... Aquilo que procuramos se encontra bem debaixo dos nossos olhos.

Não é preciso fazer nada. Não é preciso viajar a lugares distantes. Coisa mais inútil haverá que a viagem, quando os olhos veem tudo em preto e branco? Não é preciso também realizar grandes proezas de luta e trabalho – pois a beleza já se encontra pronta ao alcance da mão... Dizia Blake: "Ver um mundo num grão de areia e um céu numa flor selvagem...".

Não, ela não estava ficando louca. Mas eu compreendi o seu espanto. Descobria-se poeta. E a loucura da poesia está precisamente nisto: na compreensão de que basta que a beleza more dentro dos olhos para que o mundo inteiro seja transfigurado por eles... A felicidade nasce de dentro do olhar que foi tocado pela poesia...

Em louvor à inutilidade

Achei que conhecia o meu jardim. Pois foi da minha cabeça que ele saiu. Cada planta tinha uma razão de ser, uma história. Uma memória. Bastava olhar para ele para despertar em mim meu ardor de jardineiro: canteiro pra regar, tiriricas pra arrancar, terra pra estercar, galhos pra podar, pragas pra matar. De tesoura de podar e pazinha na mão eu era utilidade da cabeça aos pés. Era preciso trabalhar.

Aí eu fiquei doente (aquela cirurgia, faz tempo...), e o jardim, de repente, ficou diferente. Comecei a ver coisas que nunca vira. Estiveram sempre lá, debaixo do meu nariz, mas eu, útil e apressado, nunca as tinha nem visto, nem cheirado, nem sentido. A dor me obrigou a ser de um jeito que eu normalmente não era. Dor, quando está ali, martelando, é coisa ruim. O mundo acaba e fica sendo só aquele lugar onde a dor perfura. Mas há uma outra dor que fica do lado, quietinha, e que diz: "Se você mexer, eu te faço sofrer...". Pois foi esta, minha mestra, que me ensinou lições, deixando-me um pouquinho mais sábio. Primeiro, as lições da humildade, aquele sentimento de *dependência absoluta,* que Schleiermacher identificou como sendo a essência do sentimento religioso. Diante do mistério da vida nada posso fazer: só sou, só estou.

Depois, a virtude da paciência. Há que se saber esperar, pois a natureza anda devagar. Não foi ainda atingida pela loucura da pressa. Minha agenda foi esquecida, inútil, com suas listas de coisas por fazer e compromissos a atender. Senti as delícias de não cumprir um dever, sem ter dores de consciência. Dizer *não* de forma final e definitiva, o outro sem fala, inúteis todos os argumentos que ele já tinha prontos para me convencer. E, o mais importante: obrigou-me a fazer nada. Ensinou-me a conviver primeiro com a aflição e depois com as delícias da inutilidade. Fiquei diferente, as mãos impotentes, inúteis, pendentes. Só me restava contemplar, receber, pois eu nada não podia fazer.

Há um lado nosso que fica escondido, reprimido, que só aparece quando nada podemos fazer. É o lado receptivo, puro gozo da contemplação, sem tentar fazer coisa alguma. Eu ficava sentado, na varanda, olhando. E à medida que eu fazia as pazes com a minha inutilidade, o jardim ia fazendo *striptease* e me mostrando uma nudez que eu nunca vira.

Primeiro, a brincadeira da luz com as folhas e o vento. O vento batia, as folhas balançavam, e tudo ficava diferente. Os reflexos e as sombras se alternavam, formando configurações que não se repetiriam nunca. Como eu nada podia fazer, só me restava ser um espectador do espetáculo, que dizia: "Muito bem, bis, como é lindo!". E luz, vento e folhas agradeciam e faziam uma nova dança.

Notei as formas, troncos rugosos e lisos, finos e grossos, solitários e galhosos, as infinitas simetrias das folhas, vaginais, circulares, mãos, sombrinhas, rendas, corações, umas pendendo tristes, outras se levantando aos céus. Depois, uma curiosa dança de um beija-flor e um marimbondo, ambos em busca de água açucarada, disputando o mesmo lugar; e ficaram os dois, por alguns segundos, imóveis no ar, um diante do outro, até que o marimbondo, me pareceu, reconheceu os direitos do beija-flor e resolveu se retirar.

Identifiquei o lugar onde os bicos-de-lacre haviam feito um ninho. Já tinha ouvido seus piados muitas vezes, mas não tinha tido tempo para vê-los desaparecer no meio das folhas das buganvílias.

E os urubus, maravilhosamente belos na fundura do céu, nem um só movimento a perturbar a placidez de sua harmonia com o vento. Pensei também no invisível movimento dos fluidos vitais, percorrendo as plantas, sangue vegetal, manifestação silenciosa do mistério da vida. E acompanhei as mudanças no espírito do tempo. Ouvi os segredos das manhãs (alegres), do meio-dia (parado) e das tardes (tristes).

Foi em meio a essa inutilidade sem culpa que me dei ao luxo de ler livros que havia muito tempo me esperavam na estante. As listas de coisas importantes (!) para fazer sempre me obrigavam a deixá-los para depois. Mas agora eu deixara de ser objeto útil. Não podia ser usado para nada. Gozava a suprema liberdade de ser absolutamente inútil e podia me entregar aos devaneios do pensamento, sem que ninguém me cobrasse nada. Comecei por livros pesados. Me cansei. Passei para outros mais leves e, finalmente, entreguei-me vorazmente à suprema forma de inutilidade: comecei a ler a Agatha Christie. Esqueci tudo, porque todos os mistérios são iguais e terminam da mesma forma. Mas não me esqueci de uma página. Os personagens discutiam uma tela onde havia um velho chinês absortamente entregue a uma brincadeira com barbantes. E alguém comentou: "É preciso ser muito sábio para ser capaz de fazer nada!". E tive inveja do velho chinês. Eu não estava brincando com barbantes, mas os livros de mistério não deixam de ser um rolo de fios que precisa ser desembaraçado. Amei o velho desconhecido e pensei que, talvez, seja isto que precisamos aprender, para sermos menos loucos e um pouco mais sábios: que há uma forma suprema de felicidade que só podemos gozar quando nos entregamos à deliciosa irresponsabilidade da inutilidade.

Gostei tanto da ideia que até vou escrever de novo sobre ela.

Fazer nada

A manhã está do jeito como eu gosto. Céu azul, ventinho frio. Logo bem cedinho convidou-me a fazer nada. Dar uma caminhada – não por razões de saúde, mas por puro prazer. Os ipês-rosas floriram antes do tempo – você já notou? E não existe coisa mais linda que uma copa de ipê contra o céu azul. Cessam todos os pensamentos ansiosos e a gente fica possuído por pura gratidão de que a vida seja tão generosa em coisas belas. Ali, debaixo do ipê, não há nada que eu possa fazer. Não há nada que eu deva fazer. Qualquer ação minha seria supérflua. Pois como poderia eu melhorar o que já é perfeito?

Lembro-me das minhas primeiras lições de filosofia, de como eu me ri quando li que, para o taoísmo, a felicidade suprema é aquilo a que dão o nome de *Wu-Wei,* fazer nada. Achei que eram doidos. Porque, naqueles tempos, eu era um ser ético que julgava que a ação era a coisa mais importante. Ainda não havia aprendido as lições do Paraíso – que quando estamos diante da beleza só nos resta... fazer nada, gozar a felicidade que nos é oferecida.

Queria perguntar aos ipês das razões do seu equívoco. Será que, por acaso, não possuíam uma agenda? Pois, se possuíssem, saberiam que floração de ipê está agendada somente para o mês de julho. Qualquer um que preste atenção nos tempos da natureza sabe disso. Mas, antes que fizesse minha pergunta tola, ouvi, dentro de mim, a resposta que me dariam. Responderiam citando o místico medieval Angelus Silesius, que dizia que as flores não têm porquês; florescem porque florescem. Pensei que seria bom se também nós fôssemos como as plantas, que nossas ações fossem um puro transbordar de vitalidade, uma pura explosão de uma beleza que cresceu por dentro e não mais pode ser guardada. Sem razões, por puro prazer.

Mas aí olho para a mesa e um livro de capa verde me lembra que não vivo no Paraíso, que não tenho o direito de viver pelo prazer. Há deveres que me esperam. O que todos pedem de mim não é que eu floresça como os ipês, mas que eu cumpra os meus deveres – muito embora eles me levem para bem longe da minha felicidade. Pois dever é isto: aquela voz que grita mais alto que minhas flores não nascidas – os meus desejos – e me obriga a fazer o que não quero. Pois, se eu quisesse, ela não precisaria gritar. Eu faria por puro prazer. E se grita, para me obrigar à obediência, é porque o que o dever ordena não é aquilo que a alma pede. Daí a sabedoria de dois versos de Fernando Pessoa. Primeiro, aquele em que diz: "Ah, a frescura na face de não cumprir um dever!". Desavergonhado, irresponsável, corruptor da juventude, deveria ser obrigado a tomar cicuta, como Sócrates! Não é nada disso. Ele só diz a verdade: só podemos ser felizes quando formos como os ipês; quando florescermos porque florescemos; quando ninguém nos ordena o que fazer, e o que fazemos é só um filho do prazer. E o outro verso, aquele em que diz que somos o intervalo entre o nosso desejo e aquilo que o desejo dos outros fez de nós.

No meu livro de capa verde estão escritos os desejos dos outros. Ele se chama agenda. Os meus desejos, não é preciso que ninguém me lembre deles. Não precisam ser escritos. Sei-os (isto mesmo, seios!) de cor. De cor quer dizer *no coração.*

Aquilo que está escrito no coração não necessita de agendas porque a gente não esquece. O que a memória ama fica eterno. Se preciso de agenda é porque não está no coração. Não é o meu desejo. É o desejo de um outro. Minha agenda me diz que devo deixar minha conversa com os ipês para depois, pois há deveres a serem cumpridos. E que devo me lembrar da primeira lição de moral ministrada a qualquer criança: primeiro a obrigação, depois a devoção; primeiro a agenda, depois o prazer; primeiro o desejo dos outros, depois o desejo da gente. Não é essa a base de toda vida social? Uma pessoa boa, responsável, não é justamente aquela que se esquece dos seus desejos e obedece aos desejos de um outro – não importando que o outro more dentro dela mesma?

Ah! Muitas pessoas não têm uma alma. O que elas têm, no seu lugar, é uma agenda. Por isso serão incapazes de entender o que estou dizendo: em suas almas-agendas já não há lugar para o desejo. No lugar dos ipês existe apenas um imenso vazio. Há um vazio que é bom: vazio da fome (que faz lugar para o desejo de comer); vazio das mãos em concha (que faz lugar para a água que cai da bica); vazio dos braços (que faz lugar para o abraço); vazio da saudade (que faz lugar para a alegria do retorno).

Mas há um vazio ruim que não faz lugar para coisa alguma, vazio-deserto, ermo onde moram os demônios. E esse vazio, túmulo do desejo, precisa ser enchido de qualquer forma. Pois, se não o for, ali virá morar a ansiedade.

A ansiedade é o buraco deixado pelo desejo esquecido, o buraco de um coração que não mais existe: grito desesperado pedindo que desejo e coração voltem, para que se possa de novo gozar a beleza da copa do ipê contra o céu azul. Tão terrível é esse vazio que vários rituais foram criados para exorcizar os demônios que moram nele. Um deles é a minha agenda – e a agenda de todo mundo. Quando a ansiedade chega, basta ler as ordens que estão escritas, o buraco se enche de comandos, e se fica com a ilusão de que tudo está bem. E não é por isso que se trabalha tanto – da vassoura das donas de casa à bolsa de valores dos empresários? São todos iguais: lutam contra o mesmo medo do vazio.

> E vós, para quem a vida é trabalho e inquietação furiosos – não estais por demais cansados de viver? Não estais prontos para a pregação da morte? Todos vós para quem o trabalho furioso é coisa querida – e também tudo o que seja rápido, novo e diferente – vós achais por demais pesado suportar a vós mesmos; vossa atividade é uma fuga, um desejo de vos esquecerdes de vós mesmos. Não tendes conteúdo suficiente em vós mesmos para esperar – e nem mesmo para o ócio. (Nietzsche)

Por isso ligamos as televisões, para encher o vazio; por isso passamos os domingos lendo os jornais (mesmo enquanto nossos filhos brincam no balanço do parquinho), para encher o vazio; por isso não suportamos a ideia de um fim de semana ocioso, sem fazer nada (já na segunda-feira se pergunta: "E no próximo fim de semana, que é que vamos fazer?"); por isso até a praia se enche de atividade frenética, pois temos medo dos pensamentos que poderiam nos visitar na calma contemplação da eternidade do mar, que não se cansa nunca de fazer a mesma coisa.

Certos estão os taoístas: a felicidade suprema é o *Wu-Wei*, fazer nada. Porque só podem se entregar às delícias da contemplação aqueles que fizeram as pazes com a vida e não se esqueceram dos seus próprios desejos.

"Se é bom ou se é mau..."

Quando eu contava estórias para minha filha – ela era bem pequena ainda –, tinha uma pergunta que ela sempre me fazia: "Esta estória aconteceu de verdade?". Eu não tinha jeito de responder.

Se fosse o Peter Pan adulto, tal como aparece no *Hook – A volta do Capitão Gancho,* eu diria logo que tudo era só uma mentirinha sem importância que eu estava inventando para que ela dormisse logo e eu pudesse voltar a me ocupar das coisas importantes do mundo real do dinheiro, da política, do trabalho, das rotinas da casa. Diria a ela que o livro que me importava, aquele que eu realmente lia, livro de cabeceira, era a agenda de capa verde. Nas suas páginas se escrevia a realidade. Mas ela era *ainda* muito criança – com o tempo cresceria e aprenderia a ler a literatura do real que só pode ser lida nas agendas. *Por enquanto*, ela podia se entregar às palavras mentirosas das estórias, só para que o sono viesse mais depressa...

Mas eu não era o Peter Pan adulto e o que eu tinha para dizer eu não dizia, pois achava complicado demais para a cabecinha dela. O que eu gostaria de dizer a ela e não disse é que *as estórias que eu contava não aconteceram nunca para que acontecessem sempre. A Terra do Nunca é a Terra do Sempre,* que existe eternamente dentro da gente. Já o que aconteceu de fato, documentado, fotografado, comprovado pela ciência e escrito com o nome de História – isso aconteceu do lado de fora da gente e, por isso, não acontece nunca mais. Está morto e enterrado no passado, e não há feitiço que faça ressuscitar. Mas aquilo que não aconteceu nunca, aquilo que só foi sonhado, é aquilo que sempre existiu e que sempre existirá, que nem nasceu nem morrerá, e a cada vez que se conta acontece de novo...

Se ela me tivesse feito a pergunta de um jeito diferente, se me tivesse perguntado se acreditava na estória, ah!, eu teria respondido fácil: "Mas é claro que acredito!". Pois eu só acredito no que não aconteceu nunca, no que é sonho, pois de sonhos, é disso que somos feitos.

A estória da Branca de Neve não aconteceu nunca, mas todos nós somos, sempre, uma Madrasta que se vê triste diante do espelho e manda a menina, nós também, para ser morta na floresta. A estória de João e Maria não aconteceu nunca, mas em toda criança existe a fantasia terrível do abandono. A estória de Romeu e Julieta não aconteceu nunca, mas queremos ouvi-la de novo, pois dentro de nós existe o sonho do amor puro, belo e imortal. E é por isso que sou incuravelmente religioso, porque nas estórias da religião, que não aconteceram nunca, os sonhos e pesadelos da alma se acham refletidos. Acredito porque sei que são mentira. Se fossem verdade, não me interessariam.

As estórias são contadas como espelhos, para que a gente se descubra nelas. Os orientais são os grandes mestres nessa arte, esquecida dos ocidentais porque cresceram, como o Peter Pan do filme *Hook,* e passaram a acreditar somente naquilo que a agenda conta, sem perceber que, porque ela diz a verdade, mente.

Quero contar para você a estória que mais tenho contado – não aconteceu nunca, acontece sempre. Um homem muito rico, ao morrer, deixou suas terras para os seus filhos. Todos eles receberam terras férteis e belas, com exceção do mais novo, para quem sobrou um charco inútil para a agricultura. Seus amigos se entristeceram com isso e o visitaram, lamentando a injustiça que lhe havia sido feita. Mas ele só lhes disse uma coisa: "Se é bom ou se é mau, só o futuro dirá". No ano seguinte, uma seca terrível se abateu sobre o país, e as terras dos seus irmãos foram devastadas: as fontes secaram, os pastos ficaram esturricados, o gado morreu. Mas o charco do irmão mais novo se transformou num oásis fértil e belo. Ele ficou rico e comprou um lindo cavalo branco por um preço altíssimo. Seus amigos organizaram uma festa porque coisa tão maravilhosa lhe tinha acontecido. Mas dele só ouviram uma coisa: "Se é bom ou se é mau, só o futuro dirá". No dia seguinte seu cavalo de raça fugiu e foi grande a tristeza. Seus amigos vieram e lamentaram o acontecido. Mas o que o homem lhes disse foi: "Se é bom ou se é mau, só o futuro dirá". Passados sete dias o cavalo voltou trazendo consigo dez lindos cavalos selvagens. Vieram os amigos para celebrar essa nova riqueza, mas o que ouviram foram as palavras de sempre: "Se é bom ou se é mau, só o futuro dirá". No dia seguinte o seu filho, sem juízo, montou um cavalo selvagem. O cavalo corcoveou e o lançou longe. O moço quebrou uma perna. Voltaram os amigos para lamentar a desgraça. "Se é bom ou se é mau, só o futuro dirá", o pai repetiu. Passados poucos dias, vieram os soldados do rei para levar os jovens para a guerra. Todos os moços tiveram de partir, menos o seu filho de perna quebrada. Os amigos se alegraram e vieram festejar. O pai viu tudo e só disse uma coisa: "Se é bom ou se é mau, só o futuro dirá...".

Assim termina a estória, sem um fim, com reticências... Ela poderá ser continuada, indefinidamente. E, ao contá-la, é como se contasse a estória de minha vida. Tanto os meus fracassos quanto as minhas vitórias duraram pouco. Não há nenhuma vitória profissional ou amorosa que garanta que a vida finalmente se arranjou e nenhuma derrota que seja uma condenação final. As vitórias se desfazem como castelos de areia atingidos pelas ondas, e as derrotas se transformam em momentos que prenunciam um começo novo. Enquanto a morte não nos tocar, pois só ela é definitiva, a sabedoria nos diz que vivemos sempre à mercê do imprevisível dos acidentes. "Se é bom ou se é mau, só o futuro dirá."

O olhar adulto

Foi ele mesmo quem me contou, como confissão de cegueira, dando depois permissão para que eu relatasse o milagre desde que não revelasse o santo. Médico, chegou a seu consultório com seus olhos perfeitos e a cabeça cheia de pensamentos. Eram pensamentos graves, cirurgias, hospitais, e os doentes o aguardavam na sala de espera.

Entrou o primeiro paciente, que se submeteu mansamente à apalpação médica. Terminada a consulta, escrita a receita, no ato de despedida ele fez um elogio: "Doutor, que lindas são as orquídeas na sua sala de espera!".

Meu amigo sorriu embaraçado, com vergonha de dizer que não havia notado orquídea alguma na sala de espera e que, portanto, nada sabia da beleza que o doente notara. Teve vergonha de revelar a sua cegueira. Entrou o segundo paciente. Ao final da consulta, sem conseguir conter o que sentia, observou: "São maravilhosas as orquídeas na sua sala de espera, doutor!". Novamente o sorriso amarelo, sem poder dizer o que não sabia sobre as orquídeas que não havia visto.

Veio o terceiro paciente e a coisa se repetiu do mesmo jeito. Aí o doutor deu uma desculpa, saiu da sala e foi ver as orquídeas que o jardineiro colocara na sala de espera. Eram, de fato, lindas. Mas aí veio o agravante, pois o paciente, não satisfeito com a humilhação imposta ao doutor cego, observou que, na semana anterior, a árvore dentro da sala de consulta, plantada num vaso imenso, num canto, não era a mesma que ali estava, naquele dia. Mas o doutor cego de olhos perfeitos não notara a presença da árvore naquele dia nem a presença da árvore na semana anterior...

Ah! Você se espanta que tal cegueira possa existir! Mas eu lhe garanto que é assim que funcionam os olhos dos adultos em geral.

Lá vão pelo caminho a mãe e a criança, que vai sendo arrastada pelo braço – segurar pelo braço é mais eficiente que segurar pela mão. Vão os dois pelo mesmo caminho, mas não vão pelo mesmo caminho. Blake dizia que a árvore que o tolo vê não é a mesma árvore que o sábio vê. Pois eu digo que o caminho por que anda a mãe não é o mesmo caminho por que anda a criança.

Os olhos da criança vão como borboletas, pulando de coisa em coisa, para cima, para baixo, para os lados, é uma casca de cigarra num tronco de árvore, quer parar para pegar, a mãe lhe dá um puxão, a criança continua, logo adiante vê o curiosíssimo espetáculo de dois cachorros num estranho brinquedo, um cavalgando o outro, quer que a mãe também veja, com certeza ela vai achar divertido, mas ela, ao invés de rir, fica brava e dá um puxão mais forte, aí a criança vê uma mosca azul flutuando inexplicavelmente no ar, que coisa mais estranha, que cor mais bonita, tenta pegar a mosca, mas ela foge, seus olhos batem então numa amêndoa no chão e a criança vira jogador de futebol, vai chutando a amêndoa, depois é uma vagem seca de *flamboyant* pedindo para ser chacoalhada, assim vai a criança, à procura dos que moram em todos os caminhos, que divertido é andar, pena que a mãe não saiba andar por não ter os olhos que saibam brincar, ela tem muita pressa, é preciso chegar, há coisas urgentes a fazer, seu pensamento está nas obrigações de dona de casa, por isso vai dando safanões nervosos na criança, se ela conseguisse ver e brincar com os brinquedos que moram no caminho, ela não precisaria fazer análise...

A mãe caminha com passos resolutos, adultos, de quem sabe o que quer, olhando para frente e para o chão. Olhando para o chão ela procura as pedras no meio do caminho, não por amor a Drummond, mas para não dar topadas, e procura também as poças d'água, não porque tenha se comovido com o lindo desenho de Escher de nome *Poça de água*, uma poça de água suja na qual se refletem o céu azul e os ramos verdes dos pinheiros, ela procura as poças para não sujar o sapato. A pedra de Drummond e a poça de água suja de Escher os adultos não veem, só as crianças e os artistas...

A mãe não nasceu assim. Pequenina, seus olhos eram iguais aos do filho que ela arrasta agora. Eram olhos vagabundos, brincalhões, que olhavam as coisas para brincar com elas. As coisas vistas são gostosas, para ser brincadas. E é por isso que os nenezinhos têm esse estranho costume de botar na boca tudo o que veem, dizendo que tudo é gostoso, tudo é para ser comido, tudo é para ser colocado dentro do corpo. O que os olhos desejam, realmente, é comer o que veem. Assim dizia Neruda, que confessava ser capaz de comer as montanhas e beber os mares. Os olhos nascem brincalhões e vagabundos – veem pelo puro prazer de ver, coisa que, vez por outra, aparece ainda nos adultos no prazer de ver figuras. Mas aí a mãe foi sendo educada, numa caminhada igual a essa, sua mãe também a arrastava pelo braço, e quando ela tropeçava numa pedra ou pisava numa poça d'água, porque seus olhos estavam vagabundeando por moscas azuis e cachorros sem-vergonha, sua mãe lhe dava um safanão e dizia: "Olha pra frente, menina!".

"Olha pra frente!" Assim são os olhos adultos. Olhos não são brinquedos, são limpa-trilhos. Servem para abrir caminhos na direção do que se deve fazer. Assim eram os olhos daquela minha amiga que os usava para cortar cebola sem cortar o dedo, até que, um dia, o olho que morava dentro dos seus olhos se abriu e ela viu a beleza maravilhosa do vitral translúcido que mora nas rodelas de todas as cebolas, e ela tanto se espantou com o que via que pensou que estava ficando louca...

Coitados dos adultos! Arrancaram os olhos vagabundos e brincalhões de crianças e os substituíram por olhos ferramentas de trabalho, limpa-trilhos. Assim eram os olhos daquele meu amigo médico: não viam nem as orquídeas nem as árvores que estavam dentro do seu consultório. Seus olhos eram escravos do dever. E ele não percebia que as coisas ao seu redor eram brinquedos que pediam aos seus olhos: "Brinquem comigo! É tão divertido! Se vocês brincarem comigo, eu ficarei feliz, e vocês ficarão felizes...".

O nome

Meu amigo Amilcar Herrera é um homem sábio. Isso é surpreendente, considerando-se que ele é um cientista. O fato é que ciência e sabedoria são coisas muito diferentes. Ciência é conhecimento do mundo. Sabedoria é conhecimento da vida. A exuberância do conhecimento científico vai, frequentemente, lado a lado com uma total penúria de sabedoria. Nisso o conhecimento científico pode ficar parecido com aquela praga conhecida pelo nome de "erva-de-passarinho", uma parasita terrível que se aloja nos troncos das árvores e, à medida que cresce, a árvore morre. Estou cansado de ver Ph.Ds. tolos.

Uma das características das palavras do sábio é que elas sempre nos surpreendem. Guimarães Rosa cita um intrigante aforismo que diz assim: "Aquilo que vou saber sem saber eu já sabia". Pois é justamente isso que o sábio faz. A gente já sabia. Mas não sabia. Sabia sem palavras. Aí o sábio abre a boca e a gente se surpreende por ouvir dito aquilo que já morava adormecido no silêncio do corpo.

O Amilcar falou e eu me surpreendi. Ele me disse:

Rubem, eu tenho um sonho. Sonho que um dia qualquer eu vou acordar e vou ter esquecido o meu nome. Quem sou eu? – eu vou me perguntar. E eu não saberei o que responder. Não terei memória do meu nome. O ruim é quando a gente esquece o nome, mas os outros continuam a saber quem somos. Aí os psiquiatras dizem que tivemos um ataque de amnésia. E tratam de nos curar, de fazer-nos lembrar o nome para que saibamos quem somos. O nome é uma gaiola onde o que somos mora. Declaram-nos curados quando o nosso ser aparece de novo dentro da gaiola. Bom seria se os outros também se esquecessem do nome da gente. Aí eles teriam perdido a memória da gaiola que prendia o nosso ser. E o nosso ser se transformaria em pássaro e voaria livre por espaços por onde nunca havia voado. O nome é uma prisão.

É preciso confessar que não foram essas, precisamente, as palavras do Amilcar. Faz muito tempo que tivemos essa conversa. Mas foram essas as associações que sua declaração provocou em mim. E isso que ele falou, coisa na qual eu nunca havia pensado, foi para mim uma revelação. Vi, repentinamente, o que eu nunca tinha visto. É isso mesmo. Nomes são gaiolas. Neles se guardam as coisas que fizemos. Existem até os currículos, gaiolas de papel e letras em que, sob o nome, se colocam as coisas que já fizemos. Aí, com base naquilo que já fizemos, as pessoas e nós mesmos imaginamos aquilo que se pode esperar da gente.

Peirce, lógico respeitável, no seu ensaio sobre "Como tornar claras as nossas idéias", oferece-nos a seguinte fórmula para nos ajudar a ter clareza sobre a natureza de um objeto qualquer: "Considere quais os efeitos práticos que imaginamos que esse objeto possa ter. Então, a soma desses efeitos é o que é o nosso conceito desse objeto". Exemplificando: o objeto "galinha" – que efeitos práticos, em nosso pensamento, são invocados por esse nome? Respondo: cacarejo, ninho, ovo, cocô, ciscar na terra, molho pardo, canja etc. Esses efeitos práticos, somados, são aquilo que, na minha cabeça, está contido dentro do nome "galinha". Aí eu pergunto: "Como foi que cheguei a associar esses efeitos práticos ao nome galinha?". Resposta: "Pela minha experiência passada com essa entidade penosa cacarejante". O nome, assim, é um saco onde se deposita a experiência passada. E é baseado nessa experiência que se conclui sobre o que esperar no futuro. Ninguém vai imaginar que uma galinha vai cantar como pintassilgo, nem que vai botar ovos azuis, nem que vai fazer ninhos parecidos com os dos beija-flores. Galinha é galinha, para todo o sempre. Está dito no nome.

Isso que foi dito sobre a galinha vale para tudo. Para as pessoas também. Quando o meu nome é pronunciado, eu sou imediatamente informado do que fiz no passado. E, ao ser informado, pelo som enfeitiçador do meu nome, daquilo que fiz no passado, sou também informado do meu ser e daquilo que se espera de mim no futuro. O nome, assim, obriga-me a ser de um jeito que se espera. O nome contém o programa do meu ser.

O Amilcar sabia das coisas. Imagino que aquela confissão – "Sonho que, um dia qualquer, eu vou acordar e vou ter esquecido o meu nome..." –, imagino que essa confissão nasceu de uma dor, a mesma dor que o Álvaro de Campos colocou num verso: "Sou o intervalo entre o que desejo ser e os outros me fizeram". Ele acorda de manhã, com vontade sei lá de quê – há pessoas cuja presença numa feira ou numa igreja é impensável, não combina; o lindo cirurgião de roupa branca, ele é impensável numa feira, comprando cebolas, de bermuda e sandálias, e também não se pode imaginar que o professor de economia ateu confesso ponha-se a chamar por Santa Bárbara no meio da tempestade de raios (sobre as invocações a Santa Bárbara vale ler o Alberto Caeiro). Pois imagino que o

Amilcar acordou com um desejo estranho qualquer, não previsto no seu nome, desejo que nunca tivera, ou que sempre tivera, mas cujo reconhecimento fora sempre proibido pelo seu nome. Mas logo veio a interdição: "Essa ação não é permitida pelo nome Amilcar Herrera. Essa ação não está prevista no programa Amilcar Herrera".

Compreendi, então, o curioso costume de um povo primitivo que sempre dá dois nomes às pessoas. O primeiro deles é o nome igual ao nosso, anunciado, falado, escrito, conhecido, a gente grita o nome e a pessoa responde, o nome é falado e todo mundo sabe sobre quem estamos falando. O outro nome só a própria pessoa sabe. O primeiro nome é nome falso, apenas para efeitos práticos, uma mentira socialmente necessária. O outro nome, secreto, é o lugar onde mora o meu ser verdadeiro, que é muito diferente do outro. Assim, por meio desse artifício, todo mundo sabe que ninguém está preso dentro de uma gaiola de sons, que não se pode exigir que a pessoa seja, no futuro, aquilo que foi guardado no saco do nome, no passado. Cada pessoa tem, dentro de si, um segredo, um mistério. Cada burrinho pedrês tem, dentro de si, um cavalo selvagem. Cada pato doméstico tem, dentro de si, um ganso selvagem. Cada velho tem, dentro de si, uma criança que deseja brincar.

Acho que era isso que o Amilcar estava dizendo:

> Se eu esquecer o meu nome e se os outros não exigirem que eu continue a ser o que sempre fui, então alguma coisa nova poderá nascer da velha: uma fonte no deserto. Afinal de contas, esta é a suprema promessa do evangelho: que os velhos nascerão de novo e virarão crianças.

As mil e uma noites

Estou me entregando ao prazer ocioso de reler *As mil e uma noites*. O encantamento começa com o título que, nas palavras de Jorge Luis Borges, é um dos mais belos do mundo. Segundo ele, a sua beleza particular se deve ao fato de que a palavra mil é, para nós, quase sinônimo de infinito. "Falar em mil noites é falar em infinitas noites (...). Dizer *mil e uma noites* é acrescentar uma além do infinito."

As mil e uma noites são a estória de um amor – um amor que não acaba nunca. Não existe ali lugar para os versos imortais do Vinícius (tão belos que o próprio Diabo citou em sua polêmica com o Criador): "Que não seja eterno, posto que é chama, mas que seja infinito enquanto dure...". Essas são palavras de alguém que já sente o sopro do vento que dentro em pouco apagará a vela: declaração de amor que anuncia uma despedida.

Mas é isso que quem ama não aceita. Mesmo aqueles em quem a chama se apagou sonham em ouvir de alguém, um dia, as palavras que Heine escreveu para uma mulher: "Eu te amarei eternamente e ainda depois". É preciso que a chama não se apague nunca, mesmo que a vela vá se consumindo. A arte de amar é a arte de não deixar que a chama se apague. Não se deve deixar a luz dormir. É preciso se apressar em acordá-la (Bachelard). E, coisa curiosa: a mesma chama que o vento impetuoso apaga volta a se acender pela carícia do sopro suave...

As mil e uma noites são uma estória da luta entre o vento impetuoso e o sopro suave. Ela revela o segredo do amor que não se apaga nunca.

Um sultão, descobrindo-se traído pela esposa a quem amava perdidamente, toma uma decisão cruel. Não podia viver sem o amor de uma mulher. Mas também não podia suportar a possibilidade da traição. Resolve, então, que iria se casar com as moças mais belas dos seus domínios, mas, depois da primeira noite de amor, mandaria decapitá-las. Assim o amor se renovaria a cada dia em todo o seu vigor de fogo impetuoso, sem nenhum sopro de infidelidade que pudesse apagá-lo. Espalham-se logo, pelo reino, as notícias das coisas terríveis que aconteciam no palácio real: as jovens desapareciam logo depois da noite nupcial. Xerazade, filha do vizir, procura então o seu pai e lhe anuncia sua espantosa decisão: desejava tornar-se esposa do sultão. O pai, desesperado, lhe revela o triste destino que a aguardava, pois ele mesmo era quem cuidava das execuções. Mas a jovem se mantém irredutível.

A forma como o texto descreve a jovem Xerazade é reveladora. Quase nada diz sobre sua beleza. Faz silêncio total sobre o seu virtuosismo erótico. Mas conta que ela lera livros de toda espécie, que havia memorizado grande quantidade de poemas e narrativas, que decorara os provérbios populares e as sentenças dos filósofos.

E Xerazade se casa com o sultão. Realizados os atos de amor físico que acontecem nas noites de núpcias, quando o fogo do amor carnal já se esgotara no corpo do esposo, quando só restava esperar o raiar do dia para que a jovem fosse sacrificada, ela começa a falar. Conta estórias. Suas palavras penetram os ouvidos vaginais do sultão. Suavemente, como música. O ouvido é feminino, vazio que espera e acolhe, que se permite ser penetrado. A fala é masculina, algo que cresce e penetra nos vazios da alma. Segundo antiquíssima tradição, foi assim que o deus humano foi concebido: pelo sopro poético do Verbo divino, penetrando os ouvidos encantados e acolhedores de uma Virgem.

O corpo é um lugar maravilhoso de delícias. Mas Xerazade sabia que todo amor construído sobre as delícias do corpo tem vida breve. A chama se apaga tão logo o corpo se tenha esvaziado do seu fogo. O seu triste destino é ser decapitado pela madrugada: não é eterno, posto que é chama. E então, quando as chamas dos corpos já se haviam apagado, Xerazade sopra suavemente. Fala. Erotiza os vazios adormecidos do sultão. Acorda o mundo mágico da fantasia. Cada estória contém uma outra, dentro de si, infinitamente. Não há um orgasmo que ponha fim ao desejo. E ela lhe parece bela, como nenhuma outra. Porque uma pessoa é bela não pela beleza dela, mas pela beleza nossa que se reflete nela...

Conta a estória que o sultão, encantado pelas estórias de Xerazade, foi adiando a execução, por mil e uma noites, eternamente e um dia mais.

Não se trata de uma estória de amor, entre outras. É, ao contrário, a estória do nascimento e da vida do amor. O amor vive nesse sutil fio de conversação, balançando-se entre a boca e o ouvido. A Sônia Braga, ao final do documentário de celebração dos 60 anos do Tom Jobim, disse que o Tom era o homem que toda mulher gostaria de ter. E explicou: "Porque ele é masculino e feminino ao mesmo tempo...". O segredo do amor é a androginia: somos todos, homens e mulheres, masculinos e femininos ao mesmo tempo. É preciso saber ouvir. Acolher. Deixar que o outro entre dentro da gente. Ouvir em silêncio. Sem expulsá-lo por meio de argumentos e contrarrazões. Nada mais fatal contra o amor que a resposta rápida. Alfanje que decapita. Há pessoas muito velhas cujos ouvidos ainda são virginais: nunca foram penetrados. E é preciso saber falar. Há certas falas que são um estupro. Somente sabem falar os que sabem fazer silêncio e ouvir. E, sobretudo, os que se dedicam à difícil arte de adivinhar: adivinhar os mundos adormecidos que habitam os vazios do outro.

As mil e uma noites são a estória de cada um. Em cada um mora um sultão. Em cada um mora uma Xerazade. Aqueles que se dedicam à sutil e deliciosa arte de fazer amor com a boca e o ouvido (esses órgãos sexuais que nunca vi mencionados nos tratados de educação sexual...) podem ter a esperança de que as madrugadas não terminarão com o vento que apaga a vela, mas com o sopro que a faz reacender-se.

O *blazer* vermelho

Compre jeans, tênis e camiseta.
E, se você tiver coragem suficiente,
compre um blazer *vermelho...*

Amo a Tomiko. Amor velho e manso. Amo a Tomiko como quem ama um ikebana, um bonsai, um *haikai*. Ela é pura simplicidade e pureza nipônica. Pois a Tomiko, no dia mesmo em que ingressei na idade do sexo, isto é, quando me tornei sex/age/nário, telefonou-me com uma surpreendente informação que, de imediato, transformou-se em desafio. Disse-me que, no Japão, quando um homem faz 60 anos, ele compra um *blazer* vermelho. Antes dessa idade ele não tem direito a essa cor – atributo dos deuses. Somente aos 60 anos essa liberdade lhe é concedida. Quem tem permissão para usar o vermelho tem permissão para tudo.

Por aqui é justamente o contrário. À medida que envelhecemos, as cores devem ir ficando sóbrias e tristes. Esse costume, eu acho, tem a ver com a nossa ideia de que o velho está a um pé da sepultura, e que é bom ir deixando os vermelhos, azuis e amarelos para trás, assumindo a gravidade de quem vai se encontrar com Deus, o mesmo que criou o arco-íris e as suas sete cores, mas que nunca se veste de amarelo com bolas roxas.

A moda que a sociedade escolheu para os velhos é uma *preparatio mortis*. Outra não é a razão por que, em certas regiões da península ibérica e da Itália, as mulheres velhas e viúvas (é costume geral que os homens morram primeiro) se cobrem de negro da cabeça aos pés, lúgubre imitação das vestimentas dos padres e dos urubus, especialistas em cadáveres. Com suas roupas negras elas estão proclamando: "Deixei a vida! Abandonei o amor! Que nenhum homem se atreva a me desejar!".

O costume chegou até nós de forma atenuada, mas chegou. Em tempos não muito distantes o pudor e o respeito exigiam que as senhoras, a partir dos 50 anos, usassem vestidos tipo tubinho, indo até os tornozelos, golinha fechada no pescoço, mangas compridas, azul com bolinhas brancas e birote. Também os homens de respeito tinham que andar sempre de paletó, colete e gravata, obrigatoriamente de cores sóbrias. *Blazer* vermelho só em bailes de carnaval e no manicômio.

Mas eu resolvi comprar o tal *blazer* vermelho. Tenho prazer em ver a cara espantada dos outros. Resolvi, mas não cumpri. Faltou-me coragem. Aí fomos viajar, eu, minha mulher, e um casal de amigos, Jether e Lucília. Gente maravilhosa. Basta dizer que somos capazes de viajar um mês inteiro, no mesmo carro, sem jamais nos irritarmos uns com os outros. Concordamos até sobre a hora de levantar. O Jether já fez 70 anos. Mas quem vê não acredita. Elegante, cabelo preto, pele lisa, topa tudo, sobe morro, desce morro, entra mato adentro, toma banho de cachoeira, mergulha em lago de água gelada – e a mulher dele não fica atrás. Jether e Lucília são adolescentes. Pois fomos a Berlim e ficamos hospedados na casa do filho deles, Luiz, que mora lá faz 20 anos. Numa bela manhã, para o café, aparece o Luiz com um lindo *blazer*, finíssimo, cor de vinho, bordô. A antiga decisão se acendeu dentro de mim. O Luiz me disse que aquele *blazer*, ele o comprara numa casa de roupas usadas. Terminamos o café e lá fomos atrás do *blazer* vermelho. Encontrei um lindo, novíssimo, baratíssimo. Desgraça: era um número menor que o meu. Entrava muito justo. Mas ficou perfeito para o Jether. Fiquei logo com inveja: ele com *blazer*, eu sem *blazer*. Mas aí veio o desapontamento: ele não comprou o *blazer* vermelho embora achasse linda a cor de vinho. Alegou que não combinava com a sua idade. Não ficaria bem. Os outros estranhariam.

Os outros: a sociedade tem um lugar preciso para os velhos. Antigamente dizia-se de um negro bom: "Ele conhece o seu lugar". Coisa parecida se pode dizer do velho bom: "Ele conhece o seu papel": o papel que as gerações mais novas lhe atribuem. Os jovens acusam os velhos pais de serem quadrados. Com isso querem dizer que os pais não compreendem os seus valores, os seus gostos estéticos, os seus hábitos sexuais, as suas músicas. Portanto, é inútil conversar com eles.

Agora imagine que o pai ou a mãe de algum jovem, de repente, em decorrência de um acidente vascular cerebral, virasse a cabeça, começasse a gostar de *rock*, passasse a frequentar barzinhos, trocasse as roupas antigas pelos *jeans* e cores jovens e comprasse um conversível – o que aconteceria? O filho ficaria feliz pelo fato de o pai ou a mãe ter deixado de ser quadrado? De forma alguma. Se cobriria de vergonha. É só na cabeça que o pai e a mãe não devem ser quadrados. Na vida prática, o certo é que sejam quadrados. Velho que não é quadrado, na prática, é motivo de embaraço e de vergonha.

Estou lendo de novo o livro *A velhice,* de Simone de Beauvoir. Terrível. A sociedade tem um lindíssimo ideal para os velhos: cabelos brancos, ricos em experiência, pacientes, sábios, tolerantes, perdoadores. A sociedade lhes atribui virtudes de seres angelicais, muito diferentes dos seres humanos normais. Os direitos comuns a jovens e adultos, os velhos deixaram de ter. Diz a Simone:

> Se os velhos apresentarem os mesmos desejos, os mesmos sentimentos e as mesmas exigências dos jovens, o mundo olhará para eles com repulsa: neles, o amor e o ciúme parecem revoltantes e absurdos, a sexualidade é repulsiva, a violência, ridícula.

Mas a verdade sobre os velhos foi Marcel Proust quem disse: "Um velho é apenas um adolescente que viveu demais". No corpo de um velho continua vivo um adolescente. A sociedade tudo faz para se livrar desse intruso inconveniente. Esconde-o atrás de uma máscara sorridente, mata-o secretamente e enterra-o num túmulo de hipocrisias. Mas o adolescente ressurge da morte ao terceiro dia.

Hoje, portanto, como celebração da Páscoa, convido você, classificado como velho, a soltar o adolescente que mora no seu corpo. Faça uma coisa insólita, proibida, que horrorizaria os jovens. Vá com a sua mulher a um motel. Compre uma cueca jovem, colorida. Compre uma calcinha *sexy*, com rendinhas. Vá a um barzinho, meta-se no meio dos moços. Cancele sua viagem para Fátima; prefira a Chapada Diamantina ou vá nadar em Bonito. Compre *jeans*, tênis e camiseta. E, se você tiver coragem suficiente, compre um *blazer* vermelho. Eu comprei e vou usá-lo. Depois descobri que o Jether não comprou só pra não despertar suspeitas. O adolescente dele está sempre solto. Jesus Cristo ressuscitou dos mortos. Aleluia!

O jardineiro e a *Fräulein*

Menino, ele de longe olhava os pescadores nos seus barcos levados pelo vento. Pensava que o mar não tem fim. Pensava que os pescadores eram felizes porque não precisavam plantar peixes para colher depois. O mar era generoso: ele mesmo plantava os peixes que os pescadores só faziam colher com as suas redes. Tinha inveja dos pescadores. Ele era filho de agricultores. Tinha de plantar para colher. Diferente do mar, a terra tinha fim. Todos os pedaços de terra, os menores, os mais insignificantes, todos já estavam sendo cultivados. Aos pescadores, se quisessem mais, bastava navegar mar adentro. Mas os agricultores não podiam querer mais. A terra chegara ao fim. Quem quisesse mais terra para cultivar teria que sair da terra conhecida e ir em busca de outras terras, além do mar sem fim.

Ele já ouvira os mais velhos falando sobre isso – um país do outro lado do mar; tão longe que lá era noite quando no seu país era dia; país de gente de rostos diferentes, de comida diferente, de língua diferente, de religião diferente, de costumes diferentes. Tudo era diferente. Menos uma coisa: a terra era a mesma e os seus segredos, eles os conheciam.

E foi assim que chegou o dia em que ele, adolescente, seus irmãos e seus pais entraram num navio que os levaria ao tal país – como era mesmo o seu nome? Buragiro... Era assim que eles, japoneses, conseguiam falar o nome Brasil...

No Brasil, Hiroshi Okumura – esse era o seu nome – conseguiu trabalho na casa de uma família de alemães. Família rica, casa de muitos criados e criadas. Ele não falava português nem alemão. Mas não importava. Seu trabalho era cuidar da horta e do jardim. E a língua da terra e das plantas ele conhecia muito bem. A prova disso estava nos arbustos artisticamente podados segundo a inspiração milenar dos bonsais, nos canteiros explodindo em flores, nas hortaliças que cresciam viçosas. E foi assim que, na sua fiel e silenciosa competência de jardineiro e hortelão, ele passou a ser amado pelos seus patrões.

Mas ninguém nem de longe suspeitava os sonhos que havia na alma do jardineiro. Quem não sabe pensa que jardineiro só sonha com terra, água e plantas. Mas os jardineiros têm também sonhos de amor. Jardins sem amor são belos e tristes. Mas, quando o amor floresce, o jardim fica perfumado e alegre. Pois esse era o segredo que morava na alma do jardineiro japonês: ele amava uma mulher, uma alemãzinha, serviçal também, todos a tratavam por *Fräulein*. Cabelos cor de cobre, como ele nunca havia visto no seu país, pele branca salpicada de pintas, olhos azuis e um discreto sorriso na sua boca carnuda que se transformava em risada, quando longe dos patrões. Era ela que lhe trazia o prato de comida, sempre com aquele sorriso...

E ele sonhava. Sonhava que suas mãos acariciavam seus cabelos e seu rosto. Sonhava que seus braços a abraçavam e os braços dela o abraçavam. Sonhava que sua boca e sua língua bebiam amor naquela boca carnuda... E a sua imaginação fazia aquilo que faz a imaginação dos apaixonados: imaginava-se num ritual de amor, delicado como a cerimônia do chá, tirando a roupa da *Fräulein* e beijando a sua pele... A imaginação de um jardineiro japonês apaixonado é igual à imaginação de todos os apaixonados...

Mas era apenas um sonho. Olhava para seu corpo atarracado, para sua roupa rude de jardineiro, para suas mãos sujas de terra, para seus dedos ásperos como pedras. A *Fräulein* pertencia a um outro mundo distante do seu mundo de jardineiro.

Vez por outra, ele lhe oferecia uma flor quando ela lhe trazia a comida. Ela sorria aquele sorriso lindo de criança, agradecia e voltava saltitando para a casa, com a flor na mão. Mas havia aquelas ocasiões em que ela tomava a flor e a levava ao seu nariz sardento para sentir o perfume. As pétalas da flor então roçavam os seus lábios. E o seu corpo de jardineiro estremecia, imaginando que a sua boca estava tocando os lábios dela.

Mas o seu amor nunca saiu da fantasia. Ninguém nunca soube.

Os anos passaram. Ele ficou velho. A *Fräulein* também envelheceu. Mas o amor não diminuiu. Para ele, era como se os anos não tivessem passado. Ela continuava a ser a meninota sardenta. O amor não satisfeito ignora a passagem do tempo. É eterno.

Chegou, finalmente, o momento inevitável: velho, ele não mais conseguia dar conta do seu trabalho. Seus patrões, que o amavam profundamente, pensaram que o melhor, talvez, fosse que ele passasse seus últimos anos num lar para japoneses idosos, uma grande área de dez alqueires, bem-cultivada, com pássaros, flores e um lago com carpas e tilápias. Ele concordou. Visitou o lar, mas – por razões desconhecidas – não quis viver lá. Achou preferível viver com parentes, numa cidade do interior. Mas o fato é que os velhos são sempre uma perturbação na vida dos mais novos. São, na melhor das hipóteses, tolerados. E a sua velhice se encheu de tristeza.

Um dia, movido pela saudade, resolveu visitar a casa onde passara toda a sua vida e onde vivia a *Fräulein*. Mas aí lhe contaram que ela fora internada num lar para idosos alemães. Estava muito doente. Foi então visitá-la. Encontrou-a numa cama, muito fraca, incapaz de andar.

E então ele fez uma coisa louca que somente um apaixonado pode fazer: resolveu ficar com ela. Passou a dormir ao seu lado, no chão. Passou a cuidar dela como se cuida de uma criança. (Fico comovido pensando na sensibilidade dos diretores daquela casa que permitiram esse arranjo que não estava previsto nos regulamentos.)

A *Fräulein* estava muito fraca. Não conseguia mastigar os alimentos. Não conseguia comer. Aconteceu, então, um ato inacreditável de amor que os que não estão apaixonados jamais compreenderão: o jardineiro passou a mastigar a comida que ele então colocava na boca da agora "sua" *Fräulein*. Os dirigentes da casa, acho que movidos pelo amor, faziam de conta que nada viam.

Nunca ninguém viu, nunca ninguém me contou. Imaginei. Imaginei que quando estavam sozinhos, sem ninguém que os visse, o jardineiro encostava seus lábios nos lábios da Fräulein, e assim lhe dava de comer... Assim o fazem os namorados apaixonados, lábios colados, brincando de passar a uva de uma boca para a outra...

E assim, ao final da vida, o jardineiro beijou sua *Fräulein* como nunca imaginara beijar... O amor se realiza de formas inesperadas.

Esta é uma história verdadeira. Aconteceu. Foi-me contada pela Tomiko, amiga que trabalha com idosos (aquela que me aconselhou a comprar um *blazer* vermelho). Ela conheceu pessoalmente o jardineiro.

No meu sítio eu planto árvores para meus amigos que morrem. Pois vou plantar uma cerejeira e uma rosa vermelha, uma ao lado da outra: o jardineiro japonês e a sua *Fräulein*...

A solidão amiga

A noite chegou, o trabalho acabou, é hora de voltar para casa. Lar, doce lar? Mas a casa está escura, a televisão, apagada, e tudo é silêncio. Ninguém para abrir a porta, ninguém à espera. Você está só. Vem a tristeza da solidão... O que mais você deseja é não estar em solidão...

Mas deixe que eu lhe diga: sua tristeza não vem da solidão. Vem das fantasias que surgem na solidão. Lembro-me de um jovem que amava a solidão: ficar sozinho, ler, ouvir música... Assim, aos sábados, ele se preparava para uma noite de solidão feliz. Mas bastava que ele se assentasse para que as fantasias surgissem. Cenas. De um lado, amigos em festas felizes, em meio ao falatório, aos risos, à cervejinha. Aí a cena se alterava: ele, sozinho naquela sala. Com certeza ninguém estava se lembrando dele. Naquela festa feliz, quem se lembraria dele? E aí a tristeza entrava e ele não mais podia curtir a sua amiga solidão. O remédio era sair, encontrar-se com a turma para encontrar a alegria da festa. Vestia-se, saía, ia para a festa... Mas na festa ele percebia que festas reais não são iguais às festas imaginadas. Era um desencontro, uma impossibilidade de compartilhar as coisas da sua solidão... A noite estava perdida.

Faço-lhe uma sugestão: leia o livro *A chama de uma vela*, de Bachelard. É um dos livros mais solitários e mais bonitos que jamais li. A chama de uma vela, por oposição às luzes das lâmpadas elétricas, é sempre solitária. A chama de uma vela cria, ao seu redor, um círculo de claridade mansa que se perde nas sombras. Bachelard medita diante da chama solitária de uma vela. Ao seu redor, as sombras e o silêncio. Nenhum falatório bobo ou riso fácil para perturbar a verdade da sua alma. Lendo o livro solitário de Bachelard, eu encontrei comunhão. Sempre encontro comunhão quando o leio. As grandes comunhões não acontecem em meio aos risos da festa. Elas acontecem, paradoxalmente, na ausência do outro. Quem ama sabe disso. É precisamente na ausência que a proximidade é maior. Bachelard, ausente: eu o abracei agradecido por ele assim me entender tão bem. Como ele observa, "parece que há em nós cantos sombrios que toleram apenas uma luz bruxuleante. Um coração sensível gosta de valores frágeis". A vela solitária de Bachelard iluminou meus cantos sombrios, fez-me ver os objetos que se escondem quando há mais gente na cena. E ele faz uma pergunta que julgo fundamental e que proponho a você, como motivo de meditação: "Como se comporta a sua solidão?". Minha solidão? Há uma solidão que é minha, diferente das "solidões" dos outros? A solidão se comporta? Se a minha solidão se comporta, ela não é apenas uma realidade bruta e morta. Ela tem vida.

Entre as muitas coisas profundas que Sartre disse, esta é a que mais amo: "Não importa o que fizeram com você. O que importa é o que você faz com aquilo que fizeram com você". Pare. Leia de novo. E pense. Você lamenta essa maldade que a vida está fazendo com você, a solidão. Se Sartre está certo, essa maldade pode ser o lugar onde você vai plantar o seu jardim.

Como é que a sua solidão se comporta? Ou, talvez, dando um giro na pergunta: Como você se comporta com a sua solidão?

O que é que você está fazendo com a sua solidão? Quando você a lamenta, você está dizendo que gostaria de se livrar dela, que ela é um sofrimento, uma doença, uma inimiga... Aprenda isto: as coisas são os nomes que lhes damos. Se chamo minha solidão de inimiga, ela será minha inimiga. Mas será possível chamá-la de amiga? Drummond acha que sim:

> *Por muito tempo achei que a ausência é falta.*
> *E lastimava, ignorante, a falta.*
> *Hoje não a lastimo.*
> *Não há falta na ausência.*
> *A ausência é um estar em mim.*
> *E sinto-a, branca, tão pegada,*
> *aconchegada nos meus braços,*
> *que rio e danço e invento exclamações alegres,*
> *porque a ausência, essa ausência assimilada,*
> *ninguém a rouba mais de mim!*

Nietzsche também tinha a solidão como sua companheira. Sozinho, doente, tinha enxaquecas terríveis que duravam três dias e o deixavam cego. Ele tirava suas alegrias de longas caminhadas pelas montanhas, da música e de uns poucos livros que ele amava. Eis aí três companheiras maravilhosas! Vejo, frequentemente, pessoas que caminham por razões de saúde. Incapazes de caminhar sozinhas, vão aos pares, aos bandos. E vão falando, falando, sem ver o mundo maravilhoso que as cerca. Falam porque não suportariam caminhar sozinhas. E, por isso mesmo, perdem a maior alegria das caminhadas, que é a alegria de estar em comunhão com a natureza. Elas não veem as árvores, nem as flores, nem as nuvens, nem sentem o vento. Que troca infeliz! Trocam as vozes do silêncio pelo falatório vulgar. Se estivessem a sós com a natureza, em silêncio, sua solidão tornaria possível que elas ouvissem o que a natureza tem a dizer. O estar juntos não quer dizer comunhão. O estar juntos, frequentemente, é uma forma terrível de solidão, um artifício para evitar o contato com nós mesmos. Sartre chegou ao ponto de dizer que "o inferno é o outro". Sobre isso, quem sabe, conversaremos outro dia... Mas, voltando a Nietzsche, eis o que ele escreveu sobre a sua solidão:

> *Ó solidão! Solidão, meu lar!... Tua voz – ela me fala com ternura e felicidade!*
> *Não discutimos, não queixamos e muitas vezes caminhamos juntos através de portas abertas.*
> *Pois onde quer que estás, ali as coisas são abertas e luminosas. E até mesmo as horas caminham com pés saltitantes.*
> *Ali as palavras e os tempos/poemas de todo o ser se abrem diante de mim. Ali todo ser deseja transformar-se em palavra, e toda mudança pede para aprender de mim a falar.*

E o Vinícius? Você se lembra do seu poema "O operário em construção"? Vivia o operário em meio a muita gente, trabalhando, falando. E, enquanto trabalhava e falava, ele nada via, nada compreendia. Mas aconteceu que,

> (...) certo dia, à mesa, ao cortar o pão, o operário foi tomado de uma súbita emoção, ao constatar, assombrado, que tudo naquela casa – garrafa, prato, facão – era ele que os fazia, ele, um humilde operário, um operário em construção. (...) Ah! Homens de pensamento, não sabereis nunca o quanto aquele humilde operário soube naquele momento! Naquela casa vazia que ele mesmo levantara, um mundo novo nascia de que nem sequer suspeitava. O operário, emocionado, olhou sua própria mão, sua rude mão de operário, e olhando bem para ela, teve um segundo a impressão de que não havia no mundo coisa que fosse mais bela. Foi dentro da

compreensão desse instante solitário que, tal sua construção, cresceu também o operário. (...) E o operário adquiriu uma nova dimensão: a dimensão da poesia.

Rainer Maria Rilke, um dos poetas mais solitários e densos que conheço, disse o seguinte: "As obras de arte são de uma solidão infinita". É na solidão que elas são geradas. Foi na casa vazia, num momento solitário, que o operário viu o mundo pela primeira vez e se transformou em poeta.

E me lembro também de Cecília Meireles, tão lindamente descrita por Drummond:

(...) Não me parecia criatura inquestionavelmente real; e por mais que aferisse os traços positivos de sua presença entre nós, marcada por gestos de cortesia e sociabilidade, restava-me a impressão de que ela não estava onde nós a víamos... Distância, exílio e viagem transpareciam no seu sorriso benevolente. Por onde erraria a verdadeira Cecília...

Sim, lá estava ela delicadamente entre os outros, participando de um jogo de relações gregárias que a delicadeza a obrigava a jogar. Mas a verdadeira Cecília estava longe, muito longe, num lugar onde ela estava irremediavelmente sozinha.

O primeiro filósofo que li, o dinamarquês Sören Kierkegaard, um solitário que me faz companhia até hoje, observou que o início da infelicidade humana se encontra na comparação. Experimentei isso em minha própria carne. Foi quando eu, menino caipira de uma cidadezinha do interior de Minas, me mudei para o Rio de Janeiro, que conheci a infelicidade. Comparei-me com eles: cariocas, espertos, bem-falantes, ricos. Eu diferente, sotaque ridículo, gaguejando de vergonha, pobre: entre eles eu não passava de um patinho feio que os outros se compraziam em bicar. Nunca fui convidado a ir à casa de qualquer um deles. Nunca convidei nenhum deles a ir à minha casa. Eu não me atreveria. Conheci, então, a solidão. A solidão de ser diferente. E sofri muito. Nem sequer me atrevi a compartilhar com meus pais esse meu sofrimento. Seria inútil. Eles não compreenderiam. E mesmo que compreendessem, eles nada podiam fazer. Assim, tive de sofrer a minha solidão duas vezes sozinho. Mas foi nela que se formou aquele que sou hoje. As caminhadas pelo deserto me fizeram forte. Aprendi a cuidar de mim mesmo. E aprendi a buscar as coisas que, para mim, solitário, faziam sentido. Como, por exemplo, a música clássica, a beleza que torna alegre a minha solidão...

A sua infelicidade com a solidão: não se deriva ela, em parte, das comparações? Você compara a cena de você, só, na casa vazia, com a cena (fantasiada) dos outros, em celebrações cheias de risos... Essa comparação é destrutiva porque nasce da inveja. Sofra a dor real da solidão porque a solidão dói. Dói uma dor da qual pode nascer a beleza. Mas não sofra a dor da comparação. Ela não é verdadeira.

Cartas de amor

Leio e releio o poema de Álvaro de Campos. Oscilo. Não sei se devo acreditar ou duvidar. Se acredito, duvido. Duvido porque acredito. Pois foi ele mesmo quem disse – ou melhor, o seu outro, o Fernando Pessoa – que ele era um fingidor. "Todas as cartas de amor são ridículas. Não seriam cartas de amor se não fossem ridículas..."

Tenho no meu escritório a reprodução de uma das telas mais delicadas que conheço, *Mulher de azul lendo uma carta*, de Johannes Vermeer (1632-1675). Uma mulher, de pé, lê uma carta. O seu rosto está iluminado pela luz da janela. Seus olhos leem o que está escrito naquela folha de papel que suas mãos seguram, a boca ligeiramente entreaberta, quase num sorriso. De tão absorta, ela nem se dá conta da cadeira, ao seu lado. Lê de pé. Penso ser capaz de reconstruir os momentos que antecedem esse que o pintor fixou. Pancadas na porta interromperam as rotinas domésticas que a ocupavam. Ela vai abrir e lá estava o carteiro, com uma carta na mão. Pela simples leitura do seu nome, no envelope, ela identifica o remetente. Ela toma a carta e, com este gesto, toca uma mão muito distante. Para isso se escrevem as cartas de amor. Não para dar notícias, não para contar nada, não para repetir as coisas por demais sabidas, mas para que mãos separadas se toquem, ao tocarem a mesma folha de papel. Barthes cita estas palavras de Goethe:

> Por que me vejo novamente compelido a escrever? Não é preciso, querida, fazer pergunta tão evidente, porque, na verdade, nada tenho para te dizer. Entretanto tuas mãos queridas receberão este papel...

Volto ao Álvaro de Campos. Será esta a razão do ridículo das cartas de amor – o descompasso entre o que elas dizem e aquilo que elas realmente querem fazer? Pois o propósito explícito de uma carta é dar notícias, e é por isto que elas são feitas de palavras. Mas o que elas realmente desejam realizar está sempre antes e depois da palavra escrita: elas querem realizar aquilo que a separação proíbe: o abraço. Quem quer que tente entender uma carta de amor pela análise da escritura estará sempre fora de lugar, pois o que ela contém é o que não está ali, o que está ausente. Qualquer carta de amor, não importa o que se encontre nela escrito, só fala do desejo, da dor da ausência, da nostalgia pelo reencontro.

Aquela carta fez tudo parar. A mulher fecha a porta e caminha pela casa sem nada ver, buscando uma coisa apenas, a luz, o lugar onde as palavras ficarão luminosas. Que lhe importa a cadeira? Esqueceu-se de que está grávida. Seus olhos caminham pelas palavras que saíram das mesmas mãos que a abraçaram. Seu corpo está suspenso naquele momento mágico de carinho impossível que aquele pequeno pedaço de papel abriu no tempo do seu cotidiano.

Uma carta de amor é um papel que liga duas solidões. A mulher está só. Se há outras pessoas na casa, ela as deixou. Bem pode ser que as coisas que estão nela escritas não sejam nenhum segredo, que possam ser contadas a todos. Mas, para que a carta seja de amor, ela tem de ser lida em solidão. Como se o amante estivesse dizendo: "Escrevo para que você fique sozinha...". É esse ato de leitura solitária que estabelece a cumplicidade. Pois foi da solidão que a carta nasceu. A carta de amor é o objeto que o amante faz para tornar suportável o seu abandono.

Olho para o céu. Vejo a Alfa Centauro. Os astrônomos me dizem que a estrela que agora vejo é a estrela que foi, há dois anos. Pois foi esse o tempo que sua luz levou para chegar até os meus olhos. O que eu vejo é o que não mais existe. E será inútil que eu me pergunte: "Como será ela agora? Existirá ainda?". Respostas a essas perguntas eu só vou conseguir daqui a dois anos, quando a sua luz chegar até mim. A sua luz está sempre atrasada. Vejo sempre aquilo que já foi... Nisso as cartas se parecem com as estrelas. A carta que a mulher tem nas mãos, que marca o seu momento de solidão, pertence a um momento que não existe mais. Ela nada diz sobre o presente do amante distante. Daí a sua dor. O amante que escreve alonga os seus braços para um momento que ainda não existe. A amante que lê alonga os seus braços para um momento que não mais existe. A carta de amor é um abraçar do vazio...

"Ainda bem que o telefone existe", retrucarão os namorados modernos, que não mais têm de viver o amor no espaço das ausências. Engano. Um telefonema não é uma carta falada. Pois lhe falta o essencial: o silêncio da solidão, a calma da caneta pousada sobre a mesa que espera e escolhe pensamentos e palavras. O telefone põe a solidão a perder. Num telefonema a gente nunca diz aquilo que se diria numa carta. Por exemplo: "Eu ia andando pela rua quando, de repente, vi um ipê-rosa florido que me fez lembrar aquela vez...". Ou: "Relendo os poemas de Neruda encontrei este que, imagino, você gostará de ler...".

A diferença entre a carta e o telefone é simples. O telefone é impositivo. A conversa tem de acontecer naquele momento. Falta-lhe o ingrediente essencial da palavra que é dita sem esperar resposta. E, uma vez terminada, os dois amantes estão de mãos vazias.

Mas a mulher tem nas mãos uma carta. A carta é um objeto. Se não tivesse podido recolher-se à sua solidão, ela poderia tê-la guardado no bolso, na deliciosa espera do momento oportuno. O telefonema não pode esperar. A carta é paciente. Guarda as suas palavras. E, depois de lida, poderá ser relida. Ou simplesmente acariciada. Uma carta contra o rosto – poderá haver coisa mais terna? Uma carta é mais que uma mensagem. Mesmo antes de ser lida, ainda dentro do envelope fechado, tem a qualidade de um sacramento: presença sensível de uma felicidade invisível...

Esses pensamentos me vieram depois de ler as cartas de um jovem cientista, Albert Einstein, à sua amada, Mileva Maric'. Foram elas que me fizeram ir ao poema do Álvaro de Campos: ridículas. Todas as cartas de amor são ridículas. Acho que os editores pensaram o mesmo. E como desculpa para o seu gesto indiscreto de tornar público o ridículo que era segredo de dois amantes, escreveram uma longa e erudita introdução que transformou as ridículas cartas de amor em documentos da história da ciência. Valem porque, misturadas ao ridículo de que os amantes se alimentam, se encontram pistas que dão aos historiadores as chaves para a compreensão das "fontes do desenvolvimento emocional e intelectual dos correspondentes". Não sabendo o que fazer com o amor (ridículo), colocaram-nas na arqueologia da ciência.

Foi então que o quadro de Vermeer me fez ver a cena que as cartas escondem. E a mulher com a carta na mão e uma criança na barriga? Ela bem que poderia ser Mileva, grávida de uma filha ilegítima, que foi dada para adoção, e sobre quem nada se sabe. A criança foi dada. Mas as cartas foram guardadas. E que razões poderia ter uma pessoa para guardar cartas ridículas? O seu rosto absorto e os lábios entreabertos nos dão a resposta: para aqueles que amam as ridículas cartas de amor são sempre sublimes.

Volto ao poema do Álvaro de Campos e encontro lá o que faltava para fechar a cena: "Mas afinal, só as criaturas que nunca escreveram cartas de amor é que são ridículas".

Tênis x frescobol

Depois de muito meditar sobre o assunto concluí que os casamentos são de dois tipos: há os casamentos do tipo tênis e há os casamentos do tipo frescobol. Os casamentos do tipo tênis são uma fonte de raiva e ressentimentos e terminam sempre mal. Os casamentos do tipo frescobol são uma fonte de alegria e têm a chance de ter vida longa.

Explico-me. Para começar, uma afirmação de Nietzsche, com a qual concordo inteiramente. Dizia ele que, ao pensar sobre a possibilidade do casamento, cada um deveria se fazer a seguinte pergunta: "Você crê que seria capaz de conversar com prazer com esta pessoa até a sua velhice?". Tudo o mais no casamento é transitório, mas as relações que desafiam o tempo são aquelas construídas sobre a arte de conversar.

Xerazade sabia disso. Sabia que os casamentos baseados nos prazeres da cama são sempre decapitados pela manhã, terminam em separação, pois os prazeres do sexo se esgotam rapidamente, terminam na morte, como no filme *O império dos sentidos*. Por isso, quando o sexo já estava morto na cama e o amor não mais se podia dizer através dele, ela o ressuscitava pela magia da palavra:

começava uma longa conversa, conversa sem fim, que deveria durar mil e uma noites. O sultão se calava e escutava as suas palavras como se fossem música. A música dos sons ou da palavra – é a sexualidade sob a forma da eternidade: é o amor que ressuscita sempre, depois de morrer. Há os carinhos que se fazem com o corpo e há os carinhos que se fazem com as palavras. E contrariamente ao que pensam os amantes inexperientes, fazer carinho com as palavras não é ficar repetindo o tempo todo: "Eu te amo, eu te amo...". Barthes advertia: "Passada a primeira confissão, 'eu te amo' não quer dizer mais nada". É na conversa que o nosso verdadeiro corpo se mostra não em sua nudez anatômica, mas em sua nudez poética. Recordo a sabedoria de Adélia Prado: "Erótica é a alma".

O tênis é um jogo feroz. O seu objetivo é derrotar o adversário. E a sua derrota se revela no seu erro: o outro foi incapaz de devolver a bola. Joga-se tênis para fazer o outro errar. O bom jogador é aquele que tem a exata noção do ponto fraco do seu adversário, e é justamente para aí que ele vai dirigir a sua cortada – palavra muito sugestiva, que indica o seu objetivo sádico, que é o de cortar, interromper, derrotar. O prazer do tênis se encontra, portanto, justamente no momento em que o jogo não pode mais continuar porque o adversário foi colocado fora de jogo. Termina sempre com a alegria de um e a tristeza de outro.

O frescobol se parece muito com o tênis: dois jogadores, duas raquetes e uma bola. Só que, para o jogo ser bom, é preciso que nenhum dos dois perca. Se a bola veio meio torta, a gente sabe que não foi de propósito e faz o maior esforço do mundo para devolvê-la gostosa, no lugar certo, para que o outro possa pegá-la. Não existe adversário porque não há ninguém a ser derrotado. Aqui ou os dois ganham ou ninguém ganha. E ninguém fica feliz quando o outro erra – pois o que se deseja é que ninguém erre. O erro de um, no frescobol, é como ejaculação precoce: um acidente lamentável que não deveria ter acontecido, pois o gostoso mesmo é aquele ir e vir, ir e vir, ir e vir... E o que errou pede desculpas, e o que provocou o erro se sente culpado. Mas não tem importância: começa-se de novo esse delicioso jogo em que ninguém marca pontos...

A bola: são as nossas fantasias, irrealidades, sonhos sob a forma de palavras. Conversar é ficar batendo sonho pra lá, sonho pra cá...

Mas há casais que jogam com os sonhos como se jogassem tênis. Ficam à espera do momento certo para a cortada. Camus anotava no seu diário pequenos fragmentos para os livros que pretendia escrever. Um deles, que se encontra nos *Primeiros cadernos*, é sobre este jogo de tênis:

Cena: o marido, a mulher, a galeria. O primeiro tem valor e gosta de brilhar. A segunda guarda silêncio, mas, com pequenas frases secas, destrói todos os propósitos do caro esposo. Desta forma marca constantemente a sua superioridade. O outro domina-se, mas sofre uma humilhação e é assim que nasce o ódio. Exemplo: com um sorriso, "não se faça mais estúpido do que é, meu amigo". A galeria torce e sorri pouco à vontade. Ele cora, aproxima-se dela, beija-lhe a mão suspirando: "Tens razão, minha querida". A situação está salva e o ódio vai aumentando.

Tênis é assim: recebe-se o sonho do outro para destruí-lo, arrebentá-lo, como bolha de sabão... O que se busca é ter razão e o que se ganha é o distanciamento. Aqui, quem ganha sempre perde.

Já no frescobol é diferente: o sonho do outro é um brinquedo que deve ser preservado, pois se sabe que, se é sonho, é coisa delicada, do coração. O bom ouvinte é aquele que, ao falar, abre espaços para que as bolhas de sabão do outro voem livres. Bola vai, bola vem – cresce o amor... Ninguém ganha para que os dois ganhem. E se deseja então que o outro viva sempre, eternamente, para que o jogo nunca tenha fim...

"E os velhos se apaixonarão de novo..."

Meu amigo não chegou na hora marcada. Telefonou dizendo que estava num velório. Chegou atrasado, sorridente. E me contou que fora no velório que lhe viera aquela felicidade. Pensei logo que o morto deveria ser um inimigo. Não era. Um tio, muito querido, pessoa doce, 82 anos. E ele me contou uma estória de um amor... Enquanto falava, meus pensamentos saltavam. Primeiro, lembrei-me do amor do Florentino Ariza e da Firmina Daza. Depois, foi o amor de T.S. Eliot e Valerie. Todos eles amores de velhice...

Amor de mocidade é bonito, mas não é de espantar. Jovem tem mesmo é que se apaixonar. Romeu e Julieta é aquilo que todo mundo considera normal. Mas o amor na velhice é um espanto, pois nos revela que o coração não envelhece jamais. Pode até morrer, mas morre jovem. "O amor retribuído sempre rejuvenesce", dizia Eliot, no vigor da sua paixão, aos 70 anos...

Está lá, em *O amor nos tempos do cólera*, do Gabriel García Márquez. Quem não leu está perdendo uma experiência única de felicidade... Era o Fiorentino Ariza, mocinho, que se apaixonou pela Firmina Dazza, adolescente, amor doído e doido, só de longe, a menina sempre vigiada, os bilhetes e juras de amor trocados em lugares escondidos, e em tudo a promessa da felicidade de um abraço, um dia. Mas nos tempos do cólera as coisas eram diferentes, e o pai de Firmina arranjou-lhe um casamento com o doutor Urbino, ilustre e próspero médico do local. Pobre Florentino, dilacerado pela paixão inútil, dali para diante vivendo na esperança louca de que um dia, não importava quando, a Firmina seria sua. Foram 51 anos de espera até que o milagre aconteceu. O doutor Urbino, sem se dar conta de que o tempo passara, subiu numa cadeira de equilíbrio instável para resgatar um louro que fugira da gaiola e se empoleirara num galho de mangueira. A queda foi súbita e fatal. Era uma vez o doutor Urbino, estatelado no chão, com o pescoço quebrado... Começa então, depois dos tempos de luto, a estória mais bonita de um amor entre dois velhos, amor de olhar e de palavra, de deleite nos olhos e deleite no corpo...

Sei muito bem que é estranho. A Simone de Beauvoir, no seu livro sobre a velhice, diz que há uma coisa que não se perdoa nos velhos: que eles possam amar com o mesmo amor dos moços. Aos velhos está reservado outro tipo de amor, amor pelos netos, sorrindo sempre pacientemente, olhar resignado, espera da morte, passeios lentos pelos parques, horas jogando paciência, cochilos em meio às conversas. Mas, quando o velho ressuscita, e no seu corpo surgem de novo as potências adormecidas do amor – oh! os filhos se horrorizam! "Ficou caduco..."

A estória que meu amigo contou era parecida com a do Florentino e da Firmina. Só que a espera foi muito maior. Amor de adolescência interrompido – cada um seguindo seu caminho, diferentes, outros amores, famílias. Mas o tempo não consegue apagar. A psicanálise acredita que no inconsciente não há tempo... Somos eternamente jovens. E, de repente, já no crepúsculo, as árvores que todos julgavam secas começam a soltar brotos, florescem. Casam-se – ele com 80 anos, ela com 76 – e vão morar longe, longe dos olhos dos que não suportariam o amor na velhice. E ele, aos 81 anos, voltou a estudar violino! Divina loucura!!! E reaprendeu as antigas palavras de amor e dizia, realista, que, se Deus lhe concedesse viver com ela apenas dois anos, estaria muito feliz. Não ganhou dois. Mas teve um... E eu fiquei pensando que esse um ano pode ter sido semelhante àquelas experiências raras que a gente tem, e que fazem brotar, do fundo da alma, aquele grito de exultação, à la Zorba: "Valeu a pena o universo ter sido criado, só por causa disto!".

E foi o mesmo que aconteceu com o T.S. Eliot, que só encontrou o seu amor aos 68 anos, e aos 70 dizia que, antes do casamento, estava ficando velho. Mas agora se sentia mais jovem do que quando tinha 60.

O amor tem esse poder mágico de fazer o tempo correr ao contrário. O que envelhece não é o tempo. É a rotina, o enfado, a incapacidade de se comover ante o sorriso de uma mulher ou de um homem. Mas será incapacidade mesmo? Ou não será uma outra coisa: que a sociedade inteira ensina aos seus velhos que o tempo do amor já passou, que o preço de serem amados por seus filhos e netos é a renúncia aos seus sonhos de amor?

Compreendi a felicidade do meu amigo. E também fiquei feliz. Aquele velório foi como o acorde que se toca ao fim de uma sonata: a culminância da felicidade. Interessante que, como regra, o movimento final das sonatas é um *allegro*. Para trás os adágios lamentosos! A conclusão deve ser um orgasmo de alegria. E, se eu pudesse, acrescentaria aos textos sagrados, nos lugares onde os profetas têm visões da felicidade messiânica, esta outra visão que, eu penso, até o próprio Deus aprovaria com um sorriso: "E os velhos se apaixonarão de novo...".

É conversando que a gente se desentende

É de madrugada, naquele intervalo confuso entre o sono e o estar acordado, que os deuses me fazem suas revelações. Acontece, então, que as coisas mais banais aparecem à minha frente pelo avesso, o que muito me surpreende porque, pelo avesso, as coisas são o oposto do que parecem ser pelo direito.

Hoje, por exemplo, os deuses revelaram-me que a separação vem da compreensão. Para se ficar junto é melhor não entender. Isso é o oposto do que pensam os casais que vivem brigando. Acham que suas brigas devem-se ao fato de não se entenderem e pedem então socorro aos terapeutas, quem sabe a terapia fará com que se entendam melhor, o que é fato, mas a conclusão não segue a premissa. Não é certo que, depois de se entenderem melhor, vão ficar juntos.

Frequentemente é no exato momento da compreensão que a separação torna-se inevitável. Nada garante que o compreendido seja gostado. Prova disso é o que aconteceu com o meu sogro, que odiava miolo. Convidado para jantar, deliciou-se, repetiu e fartou-se com uma maravilhosa couve-flor empanada. Ao final do banquete, cumprimentou a anfitriã pelo prato divino. Mas ela logo explicou:

"Não é couve-flor, é miolo empanado...". E ele entendeu, entendimento que o catapultou na direção do banheiro mais próximo, onde o jantar foi vomitado. É assim. Às vezes, quando a gente não entende, come e gosta. Quando entende, desgosta e vomita.

Afirmação assim avessa, tão contrária ao senso comum, exige uma explicação – e é o que passo a fazer, por meio de uma longa curva que, na geometria não euclidiana da alma, é o caminho mais curto entre dois pontos.

Abri, no meu micro, um arquivo com o nome de "Encíclicas". Coloco ali o texto das encíclicas que vou promulgar quando for eleito papa. Como se sabe, o papa Leão XIII, em 1891, promulgou a encíclica *De Rerum Novarum,* que quer dizer "Sobre as coisas novas". De repente, a Igreja, que até então acreditava que tudo o que merece ser conhecido estava guardado no seu baú milenar de doutrinas, percebeu, com um susto, que coisas novas, interessantíssimas, aconteciam no mundo.

E o bom papa apressou-se a passar essa informação adiante. Esse foi o início de um enorme esforço de modernização da Igreja que não deu certo, pois não se coloca remendo de pano novo em pano velho. O pano velho começou a rasgar... Desejoso de reparar o mal que a encíclica *De Rerum Novarum* causou, escrevi a sua antítese, a encíclica *De Rerum Vetustarum,* ou seja, "Sobre as coisas velhas".

E a sua substância é extraordinariamente simples. Reza a encíclica que, do momento de sua publicação para frente, tudo, absolutamente tudo o que ocorrer na Igreja, as fórmulas litúrgicas, as bênçãos sacerdotais, batizados, crismas, casamentos, funerais, hinos, leituras dos Textos Sagrados, sermões, encíclicas, e mesmo as falas do padre ao confessionário, tudo deverá ser feito em latim. Ah! Como é belo o latim! Soa como uma "liturgia de cristal", música pura.

A música é a poesia no seu ponto máximo, quando as palavras perdem completamente qualquer sentido e transformam-se em beleza pura, beleza que não busca significações. Beleza inefável, sem palavras: sobre ela não pode haver querelas. Assim, se tudo na Igreja acontecesse em latim, seria como se tudo só fosse música – não haveria possibilidade de desentendimentos.

Se os padres e os bispos falassem em latim, a gente não entenderia nada e amaria tudo. Pois a música é assim: a gente ama sem entender. Sabia disso muito bem o oráculo de Delfos, sábio e esperto, que jamais falava qualquer coisa que os outros entendessem. A linguagem clara e distinta mata a fantasia. Falava ele os seus enigmas, música pura, língua estranha. Não é por acaso que os pentecostais e os carismáticos crescem como crescem: pelo poder da língua estranha que ninguém entende. Dentro do que ninguém entende cabe tudo: miolo vira couve-flor e o corpo e a cabeça aprovam.

Eu gostaria mesmo era de frequentar um mosteiro onde fosse proibido falar prosa – onde só se lesse poesia e se contassem causos e estórias – e se ouvisse música, canto gregoriano, Bach, o saxofone de Jan Garbarek, o piano de Keith Jarrett, a *Carmina Burana*, Jean-Pierre Rampal tocando melodias japonesas, o Maurice André e o seu pistão... Ou uma congregação Quaker, onde se cultiva o silêncio, ninguém fala, todo mundo ouve, a voz de Deus só se ouve quando todo mundo fica quieto.

A compreensão sempre dá briga. Imagino, mesmo, que foi por isso que Deus confundiu as línguas da humanidade na construção da Torre de Babel. As pessoas falavam a mesma língua. Falando, entendiam-se. Entendendo-se, compreendiam as opiniões umas das outras. Compreendendo as opiniões umas das outras, não gostavam delas. E daí passavam às vias de fato. Deus Todo-Poderoso compreendeu, então, que a única forma de evitar pancadaria era fazer com que elas não se entendessem. E foi então que nasceu a música, a língua que ninguém entende e todo mundo ama.

É conversando que a gente se desentende. Em um momento futuro, continuarei a minha curva, passando da igreja, lugar onde se louvam os casamentos eternos, para chegar à casa, lugar onde se sabe que os casamentos são efêmeros. Por enquanto, fica o conselho aos casais que estão brigando. Cuidado com a conversa. Da conversa pode nascer a compreensão, da compreensão pode surgir a separação. A compreensão pode ser tão fatal para o casamento quanto ela foi para o jantar do meu sogro. É conversando que a gente se desentende.

Previnam-se contra a terapia de casal. Ela pode produzir compreensões insuportáveis. A compreensão pode produzir a loucura. Há loucuras que resultam da lucidez... Adotem a sabedoria milenar da Igreja: adotem o latim como língua da casa. E dediquem-se à música, dando preferência aos instrumentos de sopro, pois enquanto se sopra não se fala e, assim, a compreensão e a separação são evitadas.

Por um casamento

*Amor é dado de graça,
é semeado no vento, na cachoeira,
no eclipse...*
Carlos Drummond de Andrade

O meu fascínio pelos ritos me faz suspeitar que, numa outra vida, é possível que eu tenha sido um sacerdote ou um feiticeiro. Hoje, pouca gente sabe o que são. Um rito acontece quando um poema, achando que as palavras não bastam, encarna-se em gestos, em comida e bebida, em cores e perfumes, em música e dança. O rito é um poema transformado em festa! Escrevo hoje para os que casam, por medo de que, fascinados por um rito, se esqueçam do outro... Porque, caso não saibam, é desse outro, esquecido, que o casamento depende.

O primeiro rito, sobre que todos sabem e para o qual se fazem convites, é feito com pedras, ferro e cimento.

Há um outro rito, secreto, que se faz com o voo das aves, com água, brisa, espuma e bolhas de sabão.

O primeiro rito nasceu de uma mistura de alegria e tristeza. Viram o voo do pássaro, ficaram alegres. Mas logo o pássaro se foi e ficaram tristes. Não lhes bastava que a alegria fosse infinita enquanto durasse. Queriam que ela fosse eterna. E disseram: "Queremos o voo do pássaro, eternamente". E que coisa melhor existe para conter o voo do pássaro que uma gaiola? E assim fizeram. Engaiolaram o pássaro e chamaram os mágicos, ordenando-lhes que dissessem as palavras do bruxedo: "Para sempre, até que a morte os separe".

A definição mais precisa desse rito, eu a ouvi da boca de um sacerdote. "Não é o amor que faz um casamento", ele afirmou. "São as promessas."

Assustei-me. Sabia que assim era, no civil, casamento-contrato, rito frio da sociedade, para definir os deveres (sobre os prazeres se faz silêncio) e a partilha dos bens e dos males. Sociedade é coisa sólida. Precisa de pedra, ferro e cimento. Garantias. Testemunhas. Documentos. O futuro há de ser da forma como o presente o desenhou. Para isso, os contratos. E a substância do contrato são as promessas. Sim. Ele estava certo. "Não é o amor que faz o casamento. São as promessas."

Promessas são as palavras que engaiolam o futuro. Por isso elas se fazem acompanhar sempre de testemunhas. Se o pássaro engaiolado, em algum momento do futuro, mudar de sentimento e de ideia e resolver voar, as testemunhas estão lá para reafirmar as promessas feitas no passado. O dito e contratado não pode ser mudado.

Muitas são as promessas que os noivos podem fazer: prometo dividir os meus bens, prometo não maltratá-la, prometo não humilhá-lo, prometo protegê-la, prometo cuidar de você na doença. Atos exteriores podem ser prometidos.

Assim se fazem os casamentos, com pedra, ferro, cimento e amor. Mas as coisas do amor não podem ser prometidas. Não posso prometer que, pelo resto da minha vida, sorrirei de alegria ao ouvir seu nome. Não posso prometer que, pelo resto de minha vida, sentirei saudades na sua ausência.

Sentimentos não podem ser prometidos. Não podem ser prometidos porque não dependem da nossa vontade. Sua existência é efêmera. Só existem no momento. Como o voo dos pássaros, o sopro do vento, as cores do crepúsculo. Esse é um rito de adultos, porque somente os adultos desejam que o futuro seja igual ao presente. A sua gravidade, a sua seriedade, os passos cadenciados, processionais, as suas roupas, as suas máscaras, as palavras sagradas, definitivas, para sempre, o que Deus ajunta os homens não podem separar, a exaltação dos deveres: tudo dá testemunho de que esse é um ritual adulto.

O outro ritual se faz com o voo das aves, com água, espuma e bolhas de sabão. Secreto, para ele não há convites. Secreto foi o casamento de Abelardo e Heloísa, o mais belo amor jamais vivido (proibido).

Não há convites, nem lugar certo, nem hora marcada: simplesmente acontece. "Amor é dado de graça,/é semeado no vento,/na cachoeira, no eclipse..." (Drummond). Não precisa de altares: sempre que ele acontece, o arco-íris aparece: a promessa de Deus, porque Deus é amor. Pode ser a sombra de uma árvore, um carro, uma cozinha, um banco de jardim, um vagão de trem, um aeroporto, uma mesa de bar, uma caminhada ao luar...

Não há promessas para amarrar o futuro. Há confissões de amor para celebrar o presente. "Como és formosa, querida minha, como és formosa! Há mel debaixo da tua língua!", "O teu rosto, meu amado, é um canteiro de bálsamo e os teus lábios são lírios..." (*Bíblia Sagrada*); "Eu sei que vou te amar/por toda a minha vida eu vou te amar/em cada despedida eu vou te amar/desesperadamente eu sei que vou te amar..." (Vinícius); "Eu te amo, homem, amo o teu coração, o que é, a carne de que é feito, amo sua matéria, fauna e flora (...) Te amo com a memória, imperecível" (Adélia Prado).

E os convidados, muito poucos, vestem-se como crianças: pés descalços, balões coloridos nas mãos: eles sabem que o amor fica somente se permanecermos crianças, eternamente...

Ego conjugo vobis in matrimonium, diz um velho com rosto de criança.

Para vós invoco os prazeres que voam nos ventos e as alegrias que moram nas cores: beleza, harmonia, encantamento, magia, mistério, poesia: que essas potências divinas lhes façam companhia.

Que o sorriso de um seja, para o outro, festa, fartura, mel, peixe assado no fogo, coco maduro na praia, onda salgada do mar...

Que as palavras do outro sejam tecido branco, vestido transparente de alegria, a ser despido por sutil encantamento.

E que, no final das contas e no começo dos contos, em nome do nome não dito, bem-dito, em nome de todos os nomes ausentes e nostalgias presentes, de *ágape* e *filia*, amizade e amor, em nome do nome sagrado, do pão partido e do vinho bebido, sejam felizes os dois, hoje, amanhã e depois...

Escutatória

Sempre vejo anunciados cursos de oratória. Nunca vi anunciado curso de escutatória. Todo mundo quer aprender a falar. Ninguém quer aprender a ouvir. Pensei em oferecer um curso de escutatória. Mas acho que ninguém vai se matricular.

Escutar é complicado e sutil. Diz o Alberto Caeiro que "não é bastante não ser cego para ver as árvores e as flores. É preciso também não ter filosofia nenhuma". Filosofia é um monte de ideias, dentro da cabeça, sobre como são as coisas. Aí a gente que não é cego abre os olhos. Diante de nós, fora da cabeça, nos campos e matas, estão as árvores e as flores. Ver é colocar dentro da cabeça aquilo que existe fora. O cego não vê porque as janelas dele estão fechadas. O que está fora não consegue entrar. A gente não é cego. As árvores e as flores entram. Mas – coitadinhas delas – entram e caem num mar de ideias. São misturadas nas palavras da filosofia que mora em nós. Perdem a sua simplicidade de existir. Ficam outras coisas. Então, o que vemos não são as árvores e as flores. Para se ver é preciso que a cabeça esteja vazia.

Faz muito tempo, nunca me esqueci. Eu ia de ônibus. Atrás, duas mulheres conversavam. Uma delas contava para a amiga os seus sofrimentos. (Contou-me uma amiga, nordestina, que o jogo que as mulheres do Nordeste gostam de fazer quando conversam umas com as outras é comparar sofrimentos. Quanto maior o sofrimento, mais bonitas são a mulher e a sua vida. Conversar é a arte de produzir-se literariamente como mulher de sofrimentos. Acho que foi lá que a ópera foi inventada. A alma é uma literatura. É nisso que se baseia a psicanálise...) Voltando ao ônibus. Falavam de sofrimentos. Uma delas contava do marido hospitalizado, dos médicos, dos exames complicados, das injeções na veia – a enfermeira nunca acertava –, dos vômitos e das urinas. Era um relato comovente de dor. Até que o relato chegou ao fim, esperando, evidentemente, o aplauso, a admiração, uma palavra de acolhimento na alma da outra que, supostamente, ouvia. Mas o que a sofredora ouviu foi o seguinte: "Mas isso não é nada...". A segunda iniciou, então, uma história de sofrimentos incomparavelmente mais terríveis e dignos de uma ópera que os sofrimentos da primeira.

Parafraseio o Alberto Caeiro: "Não é bastante ter ouvidos para se ouvir o que é dito. É preciso também que haja silêncio dentro da alma". Daí a dificuldade: a gente não aguenta ouvir o que o outro diz sem logo dar um palpite melhor, sem misturar o que ele diz com aquilo que a gente tem a dizer. Como se aquilo que ele diz não fosse digno de descansada consideração e precisasse ser complementado por aquilo *que a gente tem a dizer*, que é muito melhor. No fundo somos todos iguais às duas mulheres do ônibus. Certo estava Lichtenberg – citado por Murilo Mendes: "Há quem não ouça até que lhe cortem as orelhas". Nossa incapacidade de ouvir é a manifestação mais constante e sutil da nossa arrogância e vaidade: no fundo, somos os mais bonitos...

Tenho um velho amigo, Jovelino, que se mudou para os Estados Unidos, estimulado pela Revolução de 64. Pastor protestante (não "evangélico"), foi trabalhar num programa educacional da Igreja

Presbiteriana USA, voltado para minorias. Contou-me de sua experiência com os índios. As reuniões são estranhas. Reunidos os participantes, ninguém fala. Há um longo, longo silêncio. (Os pianistas, antes de iniciarem o concerto, diante do piano, ficam assentados em silêncio, como se estivessem orando. Não rezando. Reza é falatório para não ouvir. Orando. Abrindo vazios de silêncio. Expulsando todas as ideias estranhas. Também para se tocar piano é preciso não ter filosofia nenhuma.) Todos em silêncio, à espera do pensamento essencial. Aí, de repente, alguém fala. Curto. Todos ouvem. Terminada a fala, novo silêncio. Falar logo em seguida seria um grande desrespeito. Pois o outro falou os seus pensamentos, pensamentos que julgava essenciais. Sendo dele, os pensamentos não são meus. São-me estranhos. Comida que é preciso digerir. Digerir leva tempo. É preciso tempo para entender o que o outro falou. Se falo logo a seguir, são duas as possibilidades. Primeira: "Fiquei em silêncio só por delicadeza. Na verdade, não ouvi o que você falou. Enquanto você falava, eu pensava nas coisas que eu iria falar quando você terminasse sua (tola) fala. Falo como se você não tivesse falado". Segunda: "Ouvi o que você falou. Mas isso que você falou como novidade eu já pensei há muito tempo. É coisa velha para mim. Tanto que nem preciso pensar sobre o que você falou". Em ambos os casos estou chamando o outro de tolo. O que é pior que uma bofetada. O longo silêncio quer dizer: "Estou ponderando cuidadosamente tudo aquilo que você falou". E assim vai a reunião.

Há grupos religiosos cuja liturgia consiste de silêncio. Faz alguns anos passei uma semana num mosteiro na Suíça, Grands Champs. Eu e algumas outras pessoas ali estávamos para, juntos, escrever um livro. Era uma antiga fazenda. Velhas construções, não me esqueço da água no chafariz onde as pombas vinham beber. Havia uma disciplina de silêncio, não total, mas de uma fala mínima. O que me deu enorme prazer às refeições. Não tinha a obrigação de manter uma conversa com meus vizinhos de mesa.

Podia comer pensando na comida. Também para comer é preciso não ter filosofia. Não ter obrigação de falar é uma felicidade. Mas logo fui informado de que parte da disciplina do mosteiro era participar da liturgia três vezes por dia: às 7 da manhã, ao meio-dia e às 6 da tarde. Estremeci de medo. Mas obedeci. O lugar sagrado era um velho celeiro, todo de madeira, teto muito alto. Escuro. Haviam aberto buracos na madeira, ali colocando vidros de várias cores. Era uma atmosfera de luz mortiça, iluminada por algumas velas sobre o altar, uma mesa simples com um ícone oriental de Cristo. Uns poucos bancos arranjados em "U" definiam um amplo espaço vazio, no centro, onde quem quisesse podia se assentar numa almofada, sobre um tapete. Cheguei alguns minutos antes da hora marcada. Era um grande silêncio. Muito frio, nuvens escuras cobriam o céu e corriam, levadas por um vento impetuoso que descia dos Alpes. A força do vento era tanta que o velho celeiro torcia e rangia, como se fosse um navio de madeira num mar agitado. O vento batia nas macieiras nuas do pomar e o barulho era como o de ondas que se quebram. Estranhei. Os suíços são sempre pontuais. A liturgia não começava. E ninguém tomava providências. Todos continuavam do mesmo jeito, sem nada fazer. Ninguém que se levantasse para dizer: "Meus irmãos, vamos cantar o hino...". Cinco minutos, dez, quinze. Só depois de vinte minutos é que eu, estúpido, percebi que tudo já se iniciara vinte minutos antes. As pessoas estavam lá para se alimentar de silêncio. E eu comecei a me alimentar de silêncio também. Não basta o silêncio de fora. É preciso silêncio dentro. Ausência de pensamentos. E aí, quando se faz o silêncio dentro, a gente começa a ouvir coisas que não ouvia. Eu comecei a ouvir. Fernando Pessoa conhecia a experiência, e se referia a algo que se ouve nos interstícios das palavras, no lugar onde não há palavras. É música, melodia que não havia e que, quando ouvida, nos faz chorar. A música acontece no silêncio. É preciso que todos os ruídos cessem. No silêncio, abrem-se as portas de um mundo encantado que mora em nós – como no poema de Mallarmé, "A catedral submersa", que Debussy musicou. A alma é uma catedral submersa. No fundo do mar – quem faz mergulho sabe – a boca fica fechada. Somos todos olhos e ouvidos. Me veio agora a ideia de que, talvez, esta seja a essência da experiência religiosa – quando ficamos mudos, sem fala. Aí, livres dos ruídos do falatório e dos saberes da filosofia, ouvimos a melodia que não havia, que de tão linda nos faz chorar. Para mim Deus é isto: a beleza que se ouve no silêncio. Daí a importância de saber ouvir os outros: a beleza mora lá também. Comunhão é quando a beleza do outro e a beleza da gente se juntam num contraponto...

Especificações técnicas
Fonte: Gatineau 11,5 p
Entrelinha: 17 p
Papel (miolo): Off-white 90 g
Papel (capa): Cartão 250 g
Impressão e acabamento: Paym